Mouches volantes als Quelle der Inspiration

Entoptic Art, Engel, UFOs, holografische Weltmodelle, Carlos Castaneda und Nahtoderfahrungen

Floco Tausin

Leuchtstruktur Verlag

ISBN 9783907400333

Copyright © Leuchtstruktur Verlag / Floco Tausin 2022

Druck:

ingramspark.com

Weitere Informationen zum Thema Mouches volantes:

mouches-volantes.com

Further information about the subject of eye floaters:

eye-floaters.info

Inhalt

Einführung

Mitte der 1990er Jahre begegnete ich im Schweizer Emmental einem zurückgezogen lebenden Mann namens Nestor, der einen einzigartigen und provozierenden Anspruch hat: Er sehe seit Jahren dieselbe Konstellation von riesigen leuchtenden Kugeln und Fäden, welche sich in seinem Blickfeld gebildet haben. Diese Kugeln und Fäden würden am Beginn einer durch unser Bewusstsein gebildeten feinstofflichen Struktur stehen, die wiederum unsere materielle Welt hervorbringen würde. Nestor, der sich als „Seher" versteht, führt seine subjektive visuelle Wahrnehmung auf seine jahrelangen Bemühungen um Bewusstseinsentwicklung zurück, welche eine entsprechende Lebensweise sowie Praktiken für die temporäre wie permanente Steigerung der Bewusstseinsintensität umfassen. Durch diese körperlichen und konzentrativen Praktiken hätten sich jene Kugeln und Fäden, die zunächst klein, weit weg und sehr beweglich gewesen seien, nun vergrössert, seien näher gekommen, hätten zu leuchten angefangen, und er könne sie nun mit seinem Blick festhalten. Dort, im Zentrum des Sehens, gäbe es eine letzte Kugel, die „Quelle", in die wir Menschen beim Einschlafen und Sterben eingehen würden. Nestor ist davon überzeugt, dass wenn wir Menschen uns schon zu Lebzeiten so weit als möglich dieser letzten Kugel annähern, wir

die Möglichkeit haben, mit vollem Bewusstsein in sie einzugehen
– und damit den Tod zu überwinden.

Doppelmembranige Mouches-volantes-Kugeln aus der Sicht eines Se-
hers. Quelle: Floco Tausin.

Glaskörpertrübung oder Bewusstseinslicht?

Meine Lehrzeit bei Nestor habe ich ausführlich beschrieben
(Tausin 2010). Als ich diese Punkte und Fäden selbst zu sehen begann, stellte ich Nachforschungen darüber an. Ich fand heraus,
dass dieses subjektive visuelle Phänomen nicht nur bekannt, sondern weit verbreitet war. Das gesellschaftliche Verständnis dieser
Erscheinung weicht allerdings erheblich von Nestors Aussagen

ab. In unserer Kultur liegt die Deutungshoheit über diese Erscheinung seit Jahrhunderten bei der Augenheilkunde. Dort sind die Punkte und Fäden unter dem Begriff „Mouches volantes" (frz. für „fliegende Mücken") bekannt. Mouches volantes sind eine entoptische, d.h. vom menschlichen Sehsystem selbst verursachte Erscheinung. In diesem Fall sind es Trübungen im Glaskörper des Auges, welche die Sicht des Patienten beeinträchtigen. Man erklärt diese Wahrnehmung dadurch, dass der Glaskörper mit zunehmendem Alter schrumpft und sich verflüssigt (Syneresis). Teile des feinen Glaskörpergerüstes aus Hyaluronsäure und Kollagen-Fibrillen verklumpen und werfen Schatten auf die Netzhaut, die als vereinzelte bewegliche Punkte und Fäden sichtbar werden. Mouches volantes gelten als harmlos. Der allgemeine ärztliche Rat lautet, sie zu ignorieren. Zur Vorsorge kann auf eine mögliche Netzhautablösung untersucht werden, was insbesondere dann notwendig ist, wenn die Mouches volantes plötzlich von grossflächigen dunklen Wolken („Russregen") und Blitzen begleitet werden.

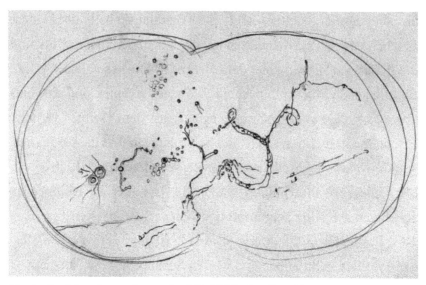

Typische Mouches volantes im Blickfeld. Quelle: Floco Tausin.

Viele Menschen können Mouches volantes sehen, wenn sie sich achten. Für die meisten sind sie lediglich eine Kuriosität, die nicht weiter stört. Es gibt aber auch Menschen, die sich durch die Punkte und Fäden in ihrer Sicht derart beeinträchtigt fühlen, dass sie chirurgische Massnahmen erwägen. Bei der Vitrektomie beispielsweise werden Teile des Glaskörpers entfernt. In der Laser-Vitreolyse hingegen wird versucht, einzelne Fäden durch kurze Laserpulse aufzulösen. Solche Behandlungen sind allerdings riskant und werden von den meisten Ärzten zur Entfernung der harmlosen Mouches volantes nicht empfohlen.

Sind Mouches volantes nun eine Glaskörpertrübung, oder sind sie Bewusstseinslicht? Nestor hat die Mouches volantes als erste Erscheinung dessen identifiziert, was er „Leuchtstruktur" oder auch

„Leuchtkugeln" und „Leuchtfäden" nennt und als Bewusstseinslicht versteht. Wenn er damit Recht hat, würde dies eine völlig falsche Einschätzung der Mouches volantes durch die heutige
Augenheilkunde bedeuten. Wie kann das sein? Tatsache ist, dass
Augenärztinnen und Augenärzte die Mouches volantes in den Augen ihrer Patienten nicht immer erkennen können. Dies trifft nicht
nur für den Blick ins Auge mittels Spaltlampe zu, sondern auch
für aufwändigere Methoden wie die Ultraschalluntersuchung oder
die Optische Kohärenztomographie (OCT). Warum können nicht
alle Mouches volantes objektiv festgestellt werden? Von ärztlicher
Seite hört man zuweilen, dass manche Trübungen zu klein oder zu
nahe an der Netzhaut sind, um sie festzustellen. Demnach sind die
verfügbaren Methoden und Geräte einfach noch nicht leistungs-
fähig genug. Es gibt aber auch die Möglichkeit, dass unter dem
Begriff „Mouches volantes" verschiedene Arten von subjektiven
visuellen Erscheinungen zusammengefasst werden, und dass eine
davon gar keine Glaskörpertrübung ist. Auch wenn tatsächliche
Glaskörpertrübungen und die ersten Erscheinungen der Leuchtstruktur auf den ersten Blick ähnlich aussehen, gibt es bei
genauerer Betrachtung klare Unterschiede: Erstere werden eher
als Schatten, Schlieren oder Flecken beschrieben, als etwas Dunk-
les und Unscharfes also. Letztere hingegen sind vereinzelte
transparente oder leuchtende Punkte und Fäden mit klaren Kon-
turen. Die Punkte enthalten einen Kern, die Fäden sind gefüllt mit
solchen Punkten. Erstere können objektiv festgestellt und behan-
delt werden, Letztere nicht – weil es sich eben nicht um Glaskörpertrübungen handelt. Ich schlage vor, die Leuchtkugeln und
Leuchtfäden eher als eine Erscheinung spezieller Zustände des

Sehnervensystems zu begreifen, so wie beispielsweise die entoptischen Erscheinungen der Phosphene oder der sog. Formkonstanten. Damit erscheint Nestors Behauptung nicht mehr abwegig, dass die Entwicklung von kleinen beweglichen transparenten Punkten und Fäden, den Mouches volantes, hin zur grossen stabilen Leuchtkugeln und Leuchtfäden eine Frage des Bewusstseins und seiner Entwicklung sei.

Mouches volantes. Quelle: Floco Tausin.

Auf den Spuren der Leuchtstruktur

Seit Jahren versuche ich in Theorie und Praxis nachzuvollziehen, was mich Nestor über die Leuchtstruktur gelehrt hat. Mit meinen bisherigen Erfahrungen kann ich zwar nicht alle seine Behauptungen bestätigen. Aber was ich gesehen habe, kann ich nicht mehr mit der Vorstellung einer „Glaskörpertrübung" oder der Verklumpung von Glaskörperstrukturen vereinbaren. Hingegen bin ich zur Überzeugung gelangt, dass es sich bei diesen Leuchtpunkten und Leuchtfäden tatsächlich um ein Bewusstseinsphänomen handelt, dass in Leuchtkraft und Grösse intensiviert werden kann. Was das genau bedeutet und wo es hinführt – ob es in dieser Struktur beispielsweise wirklich ein Zentrum mit einem Ausgang gibt, wie Nestor sagt –, versuche ich herauszufinden.

Wenn man annimmt, dass die Leuchtstruktur eine Erscheinung des sich entwickelnden Bewusstseins sowie intensiverer Bewusstseinszustände ist, dann müssten die Leuchtkugeln und Leuchtfäden in vielen kulturellen Traditionen in der einen oder anderen Form zu finden sein. Denn die Bemühung um grössere Klarheit des Bewusstseins und die Arbeit mit veränderten Bewusstseinszuständen ist eine zutiefst menschliche Angelegenheit, die sich bis in die Anfänge unserer Spezies zurückverfolgen und in fast allen Kulturen feststellen lässt. Wo aber die Leuchtstruktur auftaucht, wird sie in die Kultur oder Spiritualität einer bestimmten Gruppe oder Gesellschaft eingebettet sein – möglicherweise so umfassend, dass sie kaum noch oder gar nicht mehr erkennbar ist. Denn auch wenn das Sehen der Leuchtstruktur selbst ein kulturunabhängiger Vorgang ist, ist doch nicht auszuschliessen, dass Menschen in veränderten Bewusstseinszuständen nicht nur die Leuchtstruktur sehen, sondern diese gleichzeitig mit kulturgeprägten halluzinatorischen oder visionären Bildern überlagern. Und selbst wenn ihr Bewusstsein beim Sehen frei ist von Träumen oder Visionen, beginnt doch spätestens bei der Verarbeitung, der Darstellung und der Kommunikation der Leuchtstruktur ein Interpretationsprozess. Dieser generiert aus den Leuchtkugeln und Leuchtfäden Sinn, indem er diese Erscheinung mit bekannten kulturellen Phänomenen vergleicht. In diesem Prozess kann die Leuchtstruktur als Quelle der Inspiration wirken. So könnte die Leuchtstruktur beispielsweise von Schamanen, Sehern oder Mystikerinnen nicht einfach nur als eine göttliche oder spirituelle Kraft verstanden worden sein. Sondern sie könnte auch die Vorstellungen dieser Menschen und Gesellschaften über Götter oder Geister als Lichter oder als kreisrunde Erscheinungen geprägt haben.

In den Texten in diesem Buch gehe ich der Frage nach, wo und wie die Leuchtstruktur als Inspirationsquelle gewirkt haben könnte. Den Auftakt macht *Mouches volantes – warum die Welt ohne sie ärmer wäre*, eine kurze komödiantische Reise quer durch Zeit und Raum, die zahlreiche Kulturgüter als Resultat des Sehens der Leuchtstruktur behauptet. In *Entoptic Art* werden ausgewählte Künstlerinnen und Künstler vorgestellt, die sich durch entoptische Phänomene – darunter womöglich auch Mouches volantes – inspirieren liessen. *Engelslichter im Blick* fragt, ob unsere Vorstellung von Engeln durch das Sehen leuchtender Kugeln entstanden ist. Das nächste Kapitel, *Das UFO, das dem Blick folgt*, spürt der Bedeutung der Leuchtstruktur und anderer entoptischer Erscheinungen in der Ufologie nach. Das Kapitel *Holografische Weltmodelle und Indras Netz* zeigt die Parallelen der Leuchtstruktur mit der vedischen und buddhistischen Metapher von Indras Netz und fragt, ob das Sehen der Leuchtkugeln und Leuchtfäden den Ausschlag für die Entwicklung holografischer Weltmodelle gegeben hat. Der Text *Kokons und Fasern* untersucht, ob und inwiefern der Kultschriftsteller Carlos Castaneda durch das Sehen der Leuchtstruktur inspiriert gewesen sein könnte. Und schliesslich vermutet *Die Leuchtkugel am Ende des Tunnels*, dass auch Nahtoderfahrungen – und damit unsere Vorstellungen davon, was beim Sterben passiert – durch eine Vision der Leuchtstruktur geprägt sind.

Die Auswahl der hier vorgestellten Texte folgt keinem bestimmten Muster, sondern hat sich aus meinem persönlichen Interesse und teilweise aus den Hinweisen der Seher sowie der Menschen ergeben, mit denen ich in den letzten Jahren in Kontakt stand. Alle Texte wurden bereits früher veröffentlicht und erscheinen hier in überarbeiteter Form.

1

Mouches volantes – warum die Welt ohne sie ärmer wäre

Erstmals erschienen:

Tausin, Floco (2010): „Mouches volantes – Warum die Welt ohne sie ärmer wäre". Quelle: Link[1].

Mouches volantes sind transparente bewegliche Punkte und Fäden in unserem Gesichtsfeld, die bei hellen Lichtverhältnissen sichtbar werden und sich mit dem Blick mitbewegen. Was bedeuten sie? Diese Frage wurde durch die Zeiten hindurch immer wieder anders beantwortet. Eine augenzwinkernde Reise in die Situationen, Gedanken und Wahrnehmungen einiger Zeitzeugen, die durch Mouches volantes inspiriert waren – oder es gewesen sein könnten.

Die Leuchtstruktur Mouches volantes. Quelle: Floco Tausin.

Der neolithische Steinkünstler in Dumfries and Galloway, Schott-
land: (blickt auf die Mouches volantes und beginnt in Stein zu
hauen).

Der altägyptische Dichter: „Schütze mich, o Horus Behedeti, in
deiner Gestalt als bewegliche geflügelte Sonne am Himmel;

schütze mich mit deinen zwei Begleitern, den Schlangen Nechbet und Uto."

Der vedische Priester: „Der Luftraum ist dies Zaubernetz, Netzstangen die Weltgegenden / Damit umstrickend rafft Indra der Feinde Heer hinweg."

Ezechiel: „Und die Räder waren wie Türkis und waren alle vier eins wie das andere, und sie waren anzusehen, als wäre ein Rad im andern. Und ihre Felgen waren voller Augen um und um an allen vier Rädern."

Der Jaina-Astrologe: „Ich grüsse euch, ihr Lichtgottheiten, die ihr in euren Fahrzeugen in der Sphäre der himmlischen Körper gleitet."

Demokrit: „Seht die Tilai, diese Sonnenstäubchen, wie sie sich bewegen. Es sind Atome. Es sind Seelenatome."

Galen: „Diese verdichteten Körperchen schweben getrennt in der Feuchtigkeit und rufen eine Täuschung des Sehens hervor, als ob ausserhalb des Auges schwebende Mücken zu sehen sind."

Vasubandhu: „So wie kleine Haare, Möndchen etc., die einem Mann mit einem Augenfehler erscheinen, nicht-existent sind, so ist alles nur Bewusstsein und ohne extra-mentale Realität."

Der Taoist: „Den Drachen muss man jagen, seinen Adern muss man folgen, ob im Himmel oder auf der Erde. So entsteht Harmonie."

Der Dzogchen-Buddhist: „In der zweiten Vision des *thod-rgal* nehmen die Lichttropfen *thig le* an Zahl und Grösse zu, die Vajra-Ketten vervielfachen sich. In fortgeschrittenen Stadien enthüllen sie die Realität des Bewusstseins in seiner Unmittelbarkeit."

Der Huayen-Buddhist: „Der ganze Kosmos der Seienden ist ohne Ausnahme so wie das grosse Netz im Indra-Palast, so dass alle Seienden wie die Edelsteine an jedem Knoten des Indra-Netzes untereinander unendlich und unerschöpflich ihre Bilder und die Bilder der Bilder in sich spiegeln."

Hildegard von Bingen: „Und ich sah ein überhelles Licht und darin eine saphirblaue Menschengestalt, die durch und durch im sanften Rot funkelnder Lohe brannte."

Nagm ad-Din al-Kubra: „Wisse, im Gesicht gibt es Kreise, die im Endstadium der mystischen Reise sichtbar werden. Sie sind aus Licht und erscheinen einem, wohin man sich wendet, rechts und links. Manche haben Punkte in der Mitte, andere nicht."

Dogen: „Das Herabwirbeln der leeren Blüten ... Man soll wissen, dass der augenkranke Mensch des Buddha-Weges der ursprünglich erwachte Mensch ist."

Cesarius von Heisterbach: „Dies sind die Seelen, die bereits ganz in das Reich Gottes eingegangen sind, gläserne, sphärische Gefässe, die hinten und vorne mit einem Auge versehen sind."

Benvenutus Grassus: „Zuviel des melancholischen Safts blockiert den optischen Nerv. Man verabreiche ein Electuarium, um den Nerv zu öffnen."

Dante Alighieri: „Bewegte sich um jenen lichten Punkt / Ein Feuerkreis so eilig, dass die Drehung / Des höchsten Himmels diese nicht erreichte. / Umgeben war er rings von einem andren, / Vom dritten der, vom vierten wieder dieser, / Der vierte dann vom fünften, der vom sechsten. / Dann folgt' ein siebenter von solcher Weite, / Dass Juno's Botin in der vollen Rundung / Nicht weit genug, ihn zu umspannen wäre. / So auch der acht' und neunt, und es bewegte / Langsamer jeder sich, im Masse wie er, / Der Zahl nach sich, vom ersten mehr entfernte."

Der Kabbalist: „In diesem Sefirot-Baum zeigt sich das mystische Antlitz Gottes, die Potenzen Gottes in den Kugeln, der Schöpfungsplan aller oberen und unteren Dinge in den Verbindungen zwischen ihnen."

Der chinesische Arzt: „Punkte, die Fliegenflügel ähneln. Sie gehen weg, wenn die Yin-Essenz der Niere wieder hergestellt wird und das Holz der Leber und der Gallenblase nicht mehr austrocknet."

Hans Glaser: „Dieweyl wir aber kurz auffeinander / fouiel und mancherley zeychen am hymel haben / die uns der Allmechtige Gott / von unsers sundlichen lebens / damit er uns gern zur buss reizen und locken wolt / erscheinen lest / so sein wir leyder so undackbar / das wir solche hohe zeychen und wunderwerck gottes verachten."

Goethe: „Wie im Auge mit fliegenden Mücken / So ist's mit Sorgen ganz genau / Wenn wir in die schöne Welt hineinblicken / Da schwebt ein Spinnewebengrau / Es überzieht nicht, es zieht nur vorüber / Das Bild ist gestört, wenn nur nicht trüber / Die klare Welt bleibt klare Welt / Im Auge nur ist's schlecht bestellt."

Wassily Kandinsky: (blickt aufmerksam auf die Mouches volantes und beginnt zu zeichnen).

William H. Bates: „Eine visuelle Illusion. Zuviel Anspannung in Augen und im Geist. Da hilft Palming, Palming, Palming."

Der Tukano-Schamane: „Konzentrische Kreise, Befruchtung durch das Männliche. Ketten von Diamanten, Abstammung von der Linie der Mütter."

Der Augenarzt: „*Muscae volitantes*. Glaskörpertrübungen. Glaskörperfibrillen, die durch die altersbedingte Glaskörperdegeneration verklumpen. Kein Problem, solange es nicht blitzt, einfach nicht darauf schauen."

Der Parapsychologe: „Orbs! Orbs! Wo ist meine Fotokamera?"

Die Neurophilosophin: „Wenn ich dich sehe, und niemand anderes sieht dich, dann sprechen wir nicht von Wahrnehmung, sondern von Empfindung. Und eine Empfindung ist identisch mit einem neuralen Zustand. Damit bist du, Augengeröll, eine reine Nervensache."

Der Psychologe: „Übung Nr. 3: Bemerken Sie, dass diese Kreise immer zahlreicher und grösser zu werden scheinen, je mehr Sie sich auf sie konzentrieren. Erwägen Sie die Möglichkeit, dass es sich um eine gefährliche Erkrankung handelt, denn wenn die Kreise einmal Ihr ganzes Gesichtsfeld ausfüllen, werden Sie äusserst sehbehindert sein. Gehen Sie zum Augenarzt. Er wird Ihnen zu erklären versuchen, dass es sich um die ganz harmlosen *mouches volantes* handelt. Nehmen Sie dann entweder an, dass er Masern hatte, als diese Krankheit in der Universitäts-Augenklinik den Medizinstudenten seines Jahrgangs erklärt wurde, oder dass er Sie aus reiner Nächstenliebe nicht vom unheilbaren Verlauf Ihrer Krankheit informieren will."

Die Molekularbiologin: „Wie kommen denn Zysten der Borrelia burgdorferi in den Glaskörper?"

Der Ufologe: „Das UFO geht mit dem Blick mit? Das ist kein UFO, KEIN UFO!"

Der Vitrektomie-Kandidat: „Sonnenbrille, Blümchenmuster-Tapeten, Vitreoxigen, Inositol, NAC – Herrgott! Was soll ich denn noch tun, um euch Scheisser loszuwerden?"

Don Juan: „Die Zauberer im alten Mexiko haben den Räuber gesehen. Sie nannten ihn den Flieger, weil er durch die Luft springt. Es ist kein schöner Anblick. Er ist ein grosser undurchdringlicher Schatten, ein schwarzer Schatten, der durch die Luft hüpft. Danach landet er flach auf der Erde."

Chet Williamson: „Sieht das Ding nicht aus wie ein Gesicht? Na? Sieht es nicht aus wie das Gesicht von Alan, der von Randy ermordet wurde? Verfolgt dieses Gesicht Randy? Treibt es ihn in den Wahnsinn?"

Der Seher Nestor: „Es ist eine Struktur, die mit Bewusstseinslicht angereichert ist. In intensiven Bewusstseinszuständen leuchtet sie auf, die Kugeln und Fäden werden grösser, bis der Seher eines Tages in seine Quelle eingehen kann."

Herr Müller: (blinzelt nervös, reibt sich die Augen und geht weiter).

Literatur

Bard, Kathryn A. (1999): *Encylopedia of the Archaeology of Ancient Egypt*. NY: Routledge

Bates, William H. (1920): *The Cure of Imperfect Sight By Treatment without Glasses*. New York

Castaneda, Carlos (2000): *Das Wirken der Unendlichkeit* (2. Aufl., 2000). Frankfurt a.M.: Fischer Taschenbuch Verlag GmbH

Liu, JeeLoo (2008): *An introduction to Chinese Philosophy. From Ancient Philosophy to Chinese Buddhism*. (3. Aufl.). Blackwell Publishing Ltd.

Kovacs, Jürgen; Unschuld, Paul U. (1998): *Essential subtleties on the silver sea: The Yin-hai jing-wei. A Chinese classic on ophthalmology*. Berkeley/L.A.: University of California Press

Meier, Fritz (Hg.) (1957): *Die Fawa'ih al-Gamal wa-Fawatih al-Galal des Nagm ad-Din al-Kubra. Eine Darstellung Mystischer Erfahrungen im Islam aus der Zeit um 1200 n. Chr*. (Akademie der Wissenschaften und der Literatur IX). Wiesbaden: Franz Steiner Verlag

Plange, Hubertus (1990): „Muscae volitantes – von frühen Beobachtungen zu Purkinjes Erklärung". *Gesnerus* 47: 31-44

Rawson, Philip; Legeza, Laszlo (1974): *Tao. Die Philosophie von Sein und Werden*. Droemer-Knaur

Scheidegger, Daniel: (2007): „Different Sets of Light-Channels in the Instruction Series of Rdzogs Chen". *Revue d'Etudes Tibétaines*: 24-38

Tausin, Floco (2010): *Mouches Volantes. Die Leuchtstruktur des Bewusstseins*. Bern: Leuchtstruktur Verlag

Tausin, Floco (2009a): „Sanftes Fliegenmittel. Mouches volantes in der alternativen Augenheilkunde". *Virtuelles Magazin 2000* 53. archiv.vm2000.net/53/FlocoTausin/FlocoTausin.html (21.9.22)

Tausin, Floco (2009b): „Die spirituelle Dimension der Migräne-Aura". *Extremnews.com*, 4.7.09. Teil 1: extremnews.com/berichte/gesundheit/db651293ddb3050 (21.9.22); Teil 2: extremnews.com/berichte/gesundheit/fa94129489ae033 (21.9.2)

Tausin, Floco (2008a): „Wenn Indra Mouches volantes sieht. Die
Gemeinsamkeiten von ‚Indras Netz' und Mouches volantes". *Ganzheitlich
Sehen* 2/08. mouches-volantes.com/news/newsjuni2008.htm#1 (21.9.22)

Tausin, Floco (2008b): „Erscheinung am Himmel über Nürnberg, von Hans
Glaser". *Ganzheitlich Sehen* 3/08.
mouches-volantes.com/news/newsoktober2008.htm#6 (21.9.22)

Tausin, Floco (2008c): „Mouches volantes als Zysten". *Ganzheitlich Sehen*
1/08. mouches-volantes.com/news/newsmaerz2008.htm#2 (21.9.22)

Tausin, Floco (2007a): „Mouches volantes und Zen". *Ganzheitlich Sehen* 4/07.
mouches-volantes.com/news/newsdezember2007.htm#2 (21.9.22)

Tausin, Floco (2007b): „Mouches volantes als Sonnenstäubchen?" *Ganzheitlich
Sehen* 2/07. mouches-volantes.com/news/newsjuni2007.htm#3 (21.9.22)

Tausin, Floco (2007c): „Religiöse Kunst mit entoptischen Phänomenen –
Hildegard von Bingen". *Ganzheitlich Sehen* 3/07.
mouches-volantes.com/news/newsseptember2007.htm#4 (21.9.22)

Tausin, Floco (2006): „Mouches volantes und Trance. Ein universelles
Phänomen bei erweiterten Bewusstseinszuständen früher und heute". *Jenseits
des Irdischen* 3

Tausin, Floco (2006b): „Mouches volantes als Fahrzeuge der Lichtgottheiten
im Jainismus?" *Ganzheitlich Sehen* 4/06.
mouches-volantes.com/news/newsnovember2006.php (21.9.22)

Tausin, Floco (2006c): „Goethe – des Dichters Mücken". *Ganzheitlich Sehen*
1/06. mouches-volantes.com/news/newsfebruar2006.htm (21.9.22)

Tausin, Floco (2006d): „Wenn das UFO dem Blick folgt. Können
unidentifizierte Flugobjekte entoptische Phänomene sein?" *JUFOF. Journal für
UFO-Forschung* 167, Nr. 5

Watzlawick, Paul (1996): *Anleitung zum Unglücklichsein*. München/Zürich:
Piper

Williamson, Chet (1992): „Muscae Volitantes". *Borderlands*, hrsg. v. Thomas
F. Monteleone. Stonegate: White Wolf: 195-212

Links

Link[1]: *Virtuelles Magazin* 56
vm2000.net/56/mouchesvolantes/mouchesvolantes.html *(*24.11.14)

2

Entoptic Art

Erstmals erschienen:

Tausin, Floco (2007): „‚Entoptic Art' – Entoptische Erscheinungen als Inspirationsquelle in der zeitgenössischen bildenden Kunst". Quelle: Link[1].

Entoptische Erscheinungen sind Phänomene, die innerhalb des menschlichen Sehsystems verursacht werden, die der Betrachter aber ausserhalb von sich zu sehen glaubt. Während die moderne westliche Schulmedizin solche Erscheinungen auf physiologische Vorgänge reduziert und ihnen damit keinerlei kulturelle und spirituelle Bedeutung beimisst, haben Künstlerinnen und Künstler ein kreatives und produktives Verhältnis zu dem, was stets da ist, obwohl wir es häufig nicht sehen – und nach gängigen Idealen auch keinen Anreiz haben sollten, es anzuschauen. Dies liegt in der Natur von entoptischen Erscheinungen. Sie gehen Hand in Hand mit einer Kunst, die alternative Perspektiven und Wahrnehmungen vermitteln will.

Als moderne Kunstrichtung wurde die Darstellung von entoptischen Phänomenen erst vor kurzem als solche erfasst. Zwar weiss man seit längerer Zeit, dass einzelne dieser Erscheinungen auf Künstler inspirierend wirken. Der Kunsthistoriker A. E. Iribas nennt diverse Künstler und Kunstrichtungen, die durch Phosphene inspiriert sind – verschiedenfarbige leuchtende Formen und Muster, die man vorwiegend im Dunkeln sieht. Doch erst die norwegische Malerin Jorunn Monrad spricht in einem Artikel von 2003 von „entoptischer Kunst" und weist damit auf das inspirierende Potenzial von allen inneren Phänomenen hin, die keine Visionen oder Halluzinationen sind:

> „In 2003 I discovered that my work was entoptic, after having created such images since 1988. I used quotations from Thomas De Quincey in a catalogue in 1993, due to the striking parallels between his visions and my images. On reading Benjamin's research on drug-induced hallucinations I made more in-depth research on the phenomena, which resulted in this article" (Quelle: Link[2]).

Um festzustellen ob ein Künstler *entoptic art* betreibt, geht Monrad von Studien aus, die auf Arbeiten von Physiologen, Psychologen und Neurologen aus der ersten Hälfte des 20. Jh. basieren. Diese untersuchten die Natur entoptischer Erscheinungen und legten dabei eine Reihe von Grundformen fest, die für solche Wahrnehmungen charakteristisch sind. Diese Definition hat allerdings den Nachteil, dass die Wissenschaft hier nur auf diejenigen Erscheinungen fokussiert, die auf bestimmte Zustände des Nervensystems zurückgeführt werden. Damit sind *phosphenes* (Phosphene, z.B. Nachbilder, Sternchen) und *form constants* (geometrische Muster wie Punkte, Linien, Zickzacklinien, Gitter, Spiralen etc.) eingeschlossen. Die weit verbreiteten Mouches volantes hingegen, die seit dem Physiologen Johann Evangelist Purkinje im 19. Jh. als „Glaskörpertrübung" definiert werden, gehören nicht dazu. Dennoch zeigen einige der folgenden Bilder, dass auch Mouches volantes nicht ausgeschlossen werden können.

Moderne Künstlerinnen und Künstler, die entoptische Werke erschaffen, sind kunstgeschichtlich nicht eindeutig zu bestimmen. Eine Zunahme solcher Werke scheint sich aber in den 1960er Jahren ergeben zu haben. In dieser Zeit experimentierten viele Künstler mit bewusstseinserweiternden Substanzen, was zur Entstehung der psychedelischen Kunst führte. Kunstwerke dieser Richtung sind eine Verarbeitung dessen, was die Kunstschaffenden während ihrer veränderten Bewusstseinszustände wahrgenommen haben. Dies kann sowohl gegenständliche wie abstrakte Motive einschliessen.

Jorunn Monrad wiederum hat beobachtet, dass entoptische Künstlerinnen und Künstler häufig aus dem Umfeld der amerikanischen *Op Art* stammen, die zur selben Zeit wie die psychedelische Kunst entstanden ist. Die als *Op* (Kurzform für *Optical Art*) bezeichnete Kunst arbeitete im Gegensatz zu der ebenfalls in den 60er Jahren aufkommenden *Pop*-Kunst nicht mit gegenständlichen Motiven, sondern mit abstrakten Mustern. Diese sollten durch die gezielte Einwirkung auf das menschliche Sehsystem verwirrende Wahrnehmungen erzeugen, ähnlich den optischen Täuschungen. Um solche Effekte zu erzeugen, griffen die Künstlerinnen und Künstler auf die Resultate der wissenschaftlichen Erforschung des menschlichen Sehsystems zurück. Op verblasste allerdings schon in den späten 60er und frühen 70er Jahren wieder.

In den 1990er Jahren erlebte Op ein Revival. Viele der Künstlerinnen und Künstler, die mit entoptischen Erscheinungen arbeiten, stellten ihre Werke an solchen Messen aus, die thematisch an die Op Art der 1960er Jahre anschlossen. Diese „Op in the 90's" oder „Neo Op" sollte nicht mehr künstlich und technisch perfekt, sondern simpel, zurückhaltend, ja unbeholfen sein. Monrad charakterisiert die entoptische Kunst der neuen Op-Welle auch als träumerisch und beruhigend. Die Inspirationen werden nicht mehr wie im klassischen Op aus optischen und physiologischen Erkenntnissen geschöpft, sondern aus einer unmittelbaren visuellen Wahrnehmung von flüchtigen Phänomenen, die sich uns meistens durch aufmerksames Beobachten oder in körperlichen und emotionalen Ausnahmesituationen zeigen. So besteht die entoptische Kunst darin, subjektive visuelle Phänomene, typischerweise abstrakte geometrische Formen, darzustellen – wobei die Darstellung von realitätsgetreuer Abbildung bis hin zum künstlerisch-freien Experimentieren mit solchen Formen reicht. Die Darstellung entoptischer Phänomene genügt sich selbst, die Künstlerinnen und Künstler versuchen nicht mehr zwanghaft auf die Wahrnehmung des Publikums einzuwirken. Ob und wie die Bilder und Installationen von Zuschauern erkannt und bewertet werden, hängt von deren eigenen Beobachtungen ab.

Petra Lemmerz

Die in Karlsruhe geborene Malerin Petra Lemmerz hat sich in
zwei Serien mit entoptischen Phänomenen befasst: in ihrer Serie
„Nachbilder" (1994, Kunsthaus in Essen), sowie in der von
Goethes „Entoptische Farben" inspirierten Serie „Entoptik" (1996,
Neue Galerie im Höhmann-Haus in Augsburg).

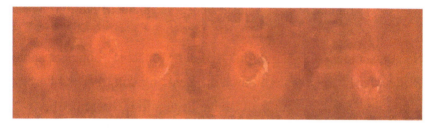

Petra Lemmerz, aus der Serie Entoptik, 1996, 63 x 226 cm. Quelle:
Lemmerz 1996.

Thomas Elsen schreibt im Vorwort zum Band, der durch Lemmerz' „Entoptik" in Augsburg führt:

> „Die Bilder von Petra Lemmerz hinterlassen eine rätselhaft-flüchtige,
> jedoch latent mitschwingende Ahnung vom Vorgang ihres faktischen
> Entstehens, ohne dass dieser zunächst enger eingekreist werden könnte.
> Sie sind zur gleichen Zeit Verdichtungen wie auch Verflüchtigungen der
> in ihnen gebundenen Farbmaterie. Zwischen diesen Polen schwingend
> rufen sie das Verlangen nach kontemplativer Betrachtung ebenso unmit-
> telbar hervor, wie auf der anderen Seite die Neugier nach den Grundle-
> gungen ihrer künstlerischen Motivation ins Blickfeld rückt" (Lemmerz
> 1996).

Schnittpunkt von Kontemplation, Motivation und Technik sind die entoptischen Phänomene, die nicht nur den Inhalt der „Entoptik"-Serie prägen, sondern auch die Prinzipien und Techniken von Lemmerz' Malerei umreissen:

„Das Auge nimmt die eigentümlichen Oberflächen der entoptischen Bilder in aller Regel zunächst nur als verschwommene Kontinuen wahr, bevor sich tatsächlich vorhandene, malerisch erzeugte Oberflächenstrukturen langsam herausbilden" (Lemmerz 1996).

So entstanden die „Entoptik"-Bilder zunächst ohne Spachtel, Rolle oder Pinsel, sondern durch die Lenkung von flüssiger Farbe auf Leinwänden, die auf dem Boden liegen. In mehreren Arbeitsschritten wurde die Farbe auf eine immer subtilere Weise verteilt und baute so eine feine Netzstruktur auf. Das Resultat sind Bilder, die an entoptische Erscheinungen erinnern, wie sie sich bei geschlossenen Augen der Sonne zugewandt zu bilden beginnen.

David Clarkson

Der gebürtige Kanadier David Clarkson hat sich auf vielen Gebieten der bildenden Kunst einen Namen gemacht: als Fotograf, Bildhauer, Collagekünstler, Installationskünstler und Maler. Sein Hauptanliegen ist das Aufzeigen des Konflikts zwischen technologisierter, konsumorientierter Rationalität – Macht- und Status-Symbole – und abstrakt-heroischen Idealen wie z.B. Ethik und Wertvorstellungen in der antiken griechischen Philosophie. Die Lösung dieser Spannung bedeutet für Clarkson Zerstücklung, Selbstzerstörung, Schmerz, Schock und Verlust. In seiner Serie *Highlight Paintings* vom Anfang der 1990er Jahre kreierte er plastische Tableaus: Das unten gezeigte Bild ist ein solches Werk, das offen zum Experimentieren mit eigenen Nachbildern einlädt.

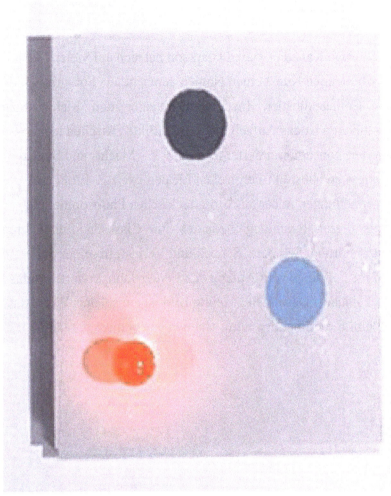

David Clarkson, Afterimage Painting, 1996, Glühbirne, Emaille auf Holz, 24 x 18 x 2 Zoll. Quelle: Moody 1998.

Ross Bleckner

Der New Yorker Ross Bleckner ist von der Op-Kunst der 1960er Jahre beeinflusst. Als diese in den 1980er Jahre ihr erstes Comeback feierte, gehörte Bleckner zu ihren Führergestalten und zugleich zu ihren grössten Kritikern. Er begann auch gegenständliche Motive (Schleifen, Rosetten, Pflanzenformen) in sein Schaffen zu integrieren, um gegen den Absolutheitsanspruch abstrakter Kunst zu protestieren. Im weiteren Verlauf setzte er sich mit der Kunstgeschichte der Postmoderne auseinander, so dass seine Werke verschiedene Stile, von Op bis zum Neo-Expressionismus, aufweisen. Wie viele seiner Werke thematisiert auch das unten stehende Bild eine Welt voller leuchtender Kugeln, die in ihrer Kern-Umkreis-Struktur an Mouches volantes erinnern.

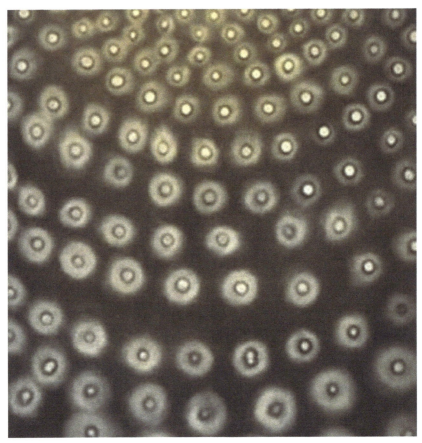

Ross Bleckner, Dome, 2001, Aquatinta, 30 x 22 Zoll. Quelle: Link[3].

Tom Moody

Tom Moodys computerbasierte Kunst beschäftigt sich mit dem Dialog zwischen Abstraktion und Repräsentation. Der Künstler verzichtet bewusst auf üppige Hard- und Software und zieht dagegen einfache Zeichenprogramme wie *Paintbrush* vor. Anhand der Veränderung von Frauengesichtern, die in gedruckten Werbeanzeigen erscheinen, erkundet er die oberflächlichen und formalen Qualitäten des Schönheitsideals – was ihm zuweilen als Folie für seine abstrakteren Werke wie das unten stehende Bild dient.

Tom Moody, Jump, 1997, Fotokopien und Leinwandstreifen, 88 x 78 Zoll. Quelle: Link[1].

Alfred Dam

Für den in Bern lebenden Kunstmaler Alfred Dam sind die Phänomene der natürlichen Umgebung Vorlage und Inspirationsquelle. Der entspannte Blick in den Himmel hat ihn zu den entoptischen Phänomenen geführt, zunächst zur Beobachtung von Nachbildern, dann zum Studium der aufleuchtenden Sternchen. Dam, von Wilhelm Reichs Orgon-Theorie inspiriert, interpretierte diese in gewundenen Bahnen bewegenden Leuchtkügelchen als Ionen (elektrisch geladene Teilchen) bzw. als elektrische Entladungen. Schon bald fasste er sie als optisch sichtbarer Ausdruck für den „kosmischen Tanz" auf, die ewige Bewegung, die im Grossen wie im Kleinen stattfindet. Die Beobachtung der Sternchen führte Alfred Dam nicht nur zu einer Reihe von Erkenntnissen über die Natur des Phänomens – so intensiviert sich die Zahl, Geschwindigkeit und Leuchtkraft der Kügelchen beispielsweise bei gewittriger Wetterlage. Sondern er erlebt die Ausrichtung der Aufmerksamkeit auf die Sternchen auch als Vorgang, der die Meditation fördert. Das spontane Auftreten von Sternchen sei ein erhabenes und nicht durch Gedanken getrübtes Glücksgefühl. Der Künstler hat seine Erlebnisse und Beobachtungen in den Serien „Cosmic Dance", „Colour Space" und „Inbetween Heaven and Earth" verarbeitet.

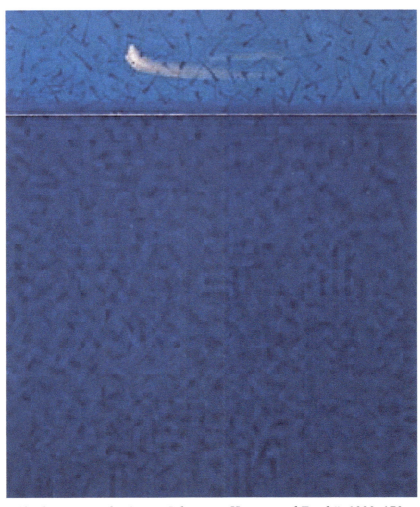

*Alfred Dam, aus der Serie „Inbetween Heaven and Earth", 1999, 170 x
153 cm. Quelle: Alfred Dam, mit freundlicher Genehmigung.*

Jorunn Monrad

Die norwegische Künstlerin bezeichnet ihre Kunst als entoptisch:

„My work has become progressively entoptic as I strove to recreate the impression of patterns I envisioned while watching woodwork or clouds as a child."

Ihre Bilder eignen sich als Meditationsobjekt. Die bilddeckenden Muster sind durch natürliche Vorlagen wie Holzmaserung und Wolkenmuster inspiriert und ähneln entoptischen geometrischen Strukturen, die in erweiterten Bewusstseinszuständen beobachtet werden können. Sie geben ihre Geheimnisse erst bei längerer Betrachtung preis. Ihre Muster scheinen lebendig zu werden, nicht nur durch die Entdeckung eidechsenartiger Tierchen, aus denen Monrads Universum besteht. Sondern die geschickte Farbkombination erzeugt bei längerer Betrachtung auch Farbkontraste, die den Tieren mit der Zeit eine eigentümliche Bewegung verleiht.

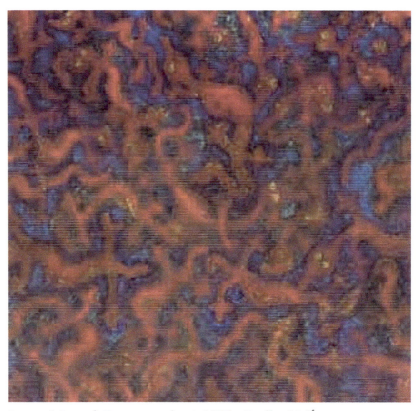

Jorunn Monrad, Temperamalerei, 1997. Quelle: Link[5].

Yayoi Kusama

Punkte und Netze in endloser Wiederholung – dies ist das künstlerische Universum einer der schillerndsten Figuren entoptischer Kunst, Yayoi Kusama. Der Japanerin gelang bereits Ende der 60er Jahren in den USA der Durchbruch als Malerin, dann auch als Bildhauerin und Körperkünstlerin. Dabei verhehlte sie nie, dass sie ihre Inspirationen aus einer Halluzinationen verursachenden Krankheit bezog, die seit ihrer Kindheit Teil ihres Lebens ist:

„I have painted since I was around ten and I still work every day. My work has been consistent. I have painted dots and nets, inspired by what I saw from hallucinations. I always liked to repeat the same pattern and just developed the accumulation as my art.“

Neben einer ganzen Reihe von Kategorisierungsversuchen wurde Kusamas Kunst aufgrund ihrer Inspirationsquelle unter anderem als *art brut* aufgefasst, obwohl sich ihre Werke visuell stark von der Kunst an Psychosen leidender Künstlerinnen und Künstlern unterscheidet. Kusama hingegen hat sich ausdrücklich nie um Kategorisierungen gekümmert: „Kusama is Kusama, not anything else.“

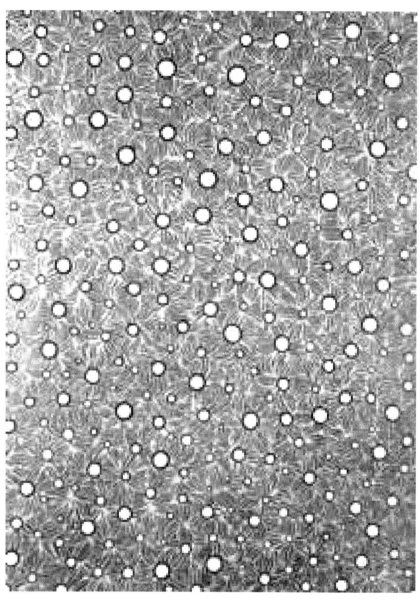

Yayoi Kusama, Meditation, Acryl auf Leinwand, 1993, 53 x 45 cm.
Quelle: Hoptman 2001.

Dass ihre Wahrnehmungen auch zu spirituellen Erfahrungen führten, ist für Kusama keine Frage. Nachdem die Künstlerin einmal ein mit roten Blütenblättern gemustertes Tischtuch betrachtete, erlebte sie eine visuelle Wiederholung dieses Musters, das sich überall abbildete, wo sie hinblickte – selbst auf ihrem Körper. Dies erlebte sie als Verlust ihrer individuellen Existenz und als Einswerden mit den Formen des Universums. Kusama hat solche repetitiven Muster von Punkten und Fäden (*infinity nets*), die sich über alles Gegenständliche hinziehen und somit die Grenzen von Gegenständen transzendieren, auf viele Arten dargestellt. Eindrücklich zu sehen ist dies in ihrer als Film aufgezeichneten Performance „Kusama's Self-Obliteration" von 1968.

„Krankheit", Spiritualität und Kunst scheinen sich bei Kusama gegenseitig zu bedingen. Beim Ausloten der Unendlichkeit in ihrem visuellen Schaffen stiess sie an ihre Grenzen und musste sich in Tokio in einer psychiatrischen Klinik behandeln lassen. Ihre künstlerische Tätigkeit führte sie dennoch über Jahre hinweg weiter. Anderseits ist ihre Kunst auch ein Umgang mit veränderten Wahrnehmungen, daher erlebt sie sie auch als ein Glück:

> „The illness lets me just be an artist because it allows me to be free from common sense. To me, being an artist, art comes before anything else. And (my obsession) is an inspiration for my work; obsessional art, I call it."

Und deutlicher:

> „If I didn't make art, I'd probably be dead by now."

Entoptic Art forever

Tom Moody bezeichnet Op als ein unfertiges Projekt:

„Regardless of what form it takes, obviously it addresses some deep, on-
going need – for pleasure, the ‚magical‘, an understanding of what se-
duces us, and other fundamental but hard-to-talk-about things.“

Genau dies trifft für die entoptische Kunst an sich zu, sei sie
psychedelisch, durch Op oder durch eine andere Richtung
inspiriert: die Auseinandersetzung mit flüchtigen Phänomenen am
Rande unserer üblichen Wahrnehmung; das Experimentieren mit
einem visuellen Raum, der gleichermassen Anteil am Innen und
am Aussen hat; die Erforschung der Wechselwirkung von
eigenem Erleben und visueller Erscheinung – all das ist Teil einer
zeitlosen Faszination der Menschheit und ist direkter Ausdruck
des Strebens nach Antworten auf die fundamentalen Fragen: Was
ist diese Welt vor meinen Augen? In welchem Verhältnis stehe
ich zur Welt? Wer und was bin ich?

Literatur

Beyer, Andreas u.a. (Hg.) (2006): *Allgemeines Künstlerlexikon – Internationale Künstlerdatenbank* (CD-ROM-Ausgabe, 24. Auflage). München/Leipzig: K. G. Saur

Conley, Craig (2012): „Phosphenes". *Oneletterwords.com*. oneletterwords.com/weblog/?id=2321 (21.9.22)

Itoi, Kay (1997): „Kusama speaks". *Artnet.com*. artnet.com/Magazine/features/itoi/itoi8-22-97.asp (21.9.22)

Lemmerz, Petra (1996): *Entoptik*. Augsburg

Lewis-Williams, J. D.; Dowson, T. A. (1988): „The Signs of All Times: Entoptic Phenomena in Upper Paleolithic Art". *Current Anthropology* 29, Nr. 2: 201-245

Moody, Tom (1998): „Op Art in the 90s". *Digitalmediatree.com*. digitalmediatree.com/tommoody/op90s (21.9.22)

Podoll, K. u.a. (2004): „Yayoi Kusama´s entoptic art". *NYArts* 9: 30-31

Hoptman, Laura u.a. (2001): *Yayoi Kusama*. New York

Tausin, Floco (2010): *Mouches Volantes. Die Leuchtstruktur des Bewusstseins*. Bern: Leuchtstruktur Verlag

Zelevansky, Lynn u.a. (1998): *Love forever: Yayoi Kusama 1958-1968*. l.a.

Links

Link[1]: *ExtremNews.com*, 21.1.07. extremnews.com/berichte/vermischtes/396b116f79905e4 (21.9.22)

Link[2]: entopticart.com (2007)

Link[3]: museum-editions.com/products/r-bleckner-8 (2.9.19)

Link[4]: digitalmediatree.com/tommoody/op90s/ (21.9.22)

Link[5]: jorunnmonrad.com (2007)

- entopticart.com (2007), archiviert auf web.archive.org (2.9.19)
- rbleckner.com/ (2.9.19)
- jorunnmonrad.info (21.9.22)
- yayoi-kusama.jp (21.9.22)
- petralemmerz.de/ (21.9.22)

3
Engelslichter im Blick

Erstmals erschienen:
Tausin, Floco (2018): „Sind Engel immer geflügelte Wesen – oder auch einfach Lichtkreise?" Quelle: Link[1].

Jill war sieben Jahre alt, als sie dieses Bild zeichnete. Damit wollte sie ihrer Mutter die „Kreise" zeigen, die sie sah und die auf sie zukamen. Für die Mutter, Inge Hausmann, waren die Kreise ein Ausdruck der Fantasie ihrer Tochter. Zumal der Gang zum Augenarzt nichts ergeben hat. Jill fürchtete sich anfangs vor ihren Kreisen. Dann aber erkannte sie, dass sie sich nicht zu fürchten braucht. Es seien ihre Schutzengel, erklärte sie ihrer Mutter.

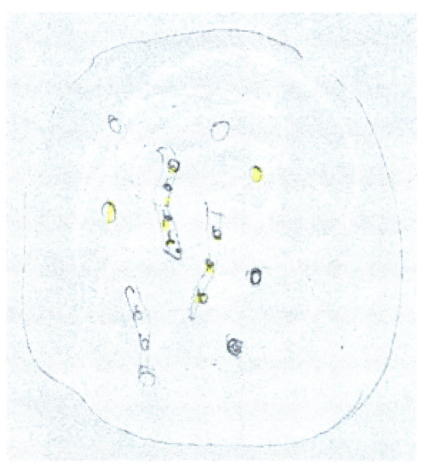

Schutzengel als „Kreise". Eine Zeichnung von Jill Hausmann. Quelle: Inge Hausmann.

Viele Jahre später – nach dem tragischen Unfalltod von Jill im Al- ter von 22 Jahren – hat Inge Hausmann Kontakt mit mir aufgenommen. Das Phänomen, das ich erforsche, die so genann- ten „Mouches volantes", erinnerte sie an die Zeichnung ihrer Tochter. Mouches volantes sind die subjektive visuelle Erschei- nung von transparenten oder leuchtenden Punkten und Fäden, die sich mit dem Blick mitbewegen. Viele Menschen kennen sie, wenige achten darauf, einige stören sich daran. Augenärzte nennen sie „Mouches volantes", fliegende Mücken. Gemäss der Augenheilkunde sind es verklumpte Strukturen im Glaskörper, eine harmlose Alterserscheinung, solange sie nur vereinzelt auftauchen.

Leuchtstruktur Mouches volantes. Quelle: Floco Tausin.

Doch seit der Begegnung mit einem Emmentaler Einsiedler, der diese Punkte und Fäden als „Leuchtstruktur des Bewusstseins" sieht und dieses Sehen als Meditation praktiziert, zweifle ich an der physiologischen Erklärung. Ich forschte und fand solche Formen in der Kunst und in Berichten von Schamanen, Mystikern, Yogis und anderen, die im Rahmen ihrer spirituellen und heilerischen Tätigkeit Formen der Bewusstseinsveränderung praktizierten. Diese Menschen haben die Leuchtstruktur sehr wahrscheinlich in ekstatischen Zuständen gesehen und im Rahmen ihrer jeweiligen Kultur interpretiert, z.B. als Geister, Samentropfen, Blüten oder andersweltliche Lichter. In unserer Kultur werden sie von manchen Menschen als Engel erlebt. Jill ist kein Einzelfall. Auch für andere Menschen, die mit mir Kontakt aufgenommen haben, sind diese Leuchtpunkte und Leuchtfäden Engel oder Botschaften von Engeln.

Vision des Gotteswagens – Räder und Cherubim – von Ezechiel. Kopie einer Darstellung von Matthäus Merian dem Älteren (1593-1650). Quelle: Link[2].

Üblicherweise denken wir beim Wort „Engel" an geflügelte Wesen in Menschengestalt. Doch bereits in den alten Kulturen des Nahen und Mittleren Ostens hatten Engel nicht nur eine tierische und menschliche Gestalt, sondern auch die eines Kreises. Etwa als geflügelte runde Scheibe bei den Ägyptern und Mesopotamiern, als rundes weisses Feuer in der zoroastrischen Grösseren Bundahishn, und als Räder voller Augen am Gotteswagen in den Visionen biblischer Propheten. Diese Räder galten in der jüdisch-mystischen Kabbala als eigene Klasse von Engeln. In den christlichen Engelshierarchien werden sie teilweise mit den

„Throni" gleichgesetzt, einer der drei höchsten Engelschöre, die Gottes Licht am reinsten und direktesten weitergeben.

Die neun Engelschöre: die Throni (oben links) erscheinen als geflügelte Kreise oder Räder. Aus dem tridentinischen Messbuch. Quelle: Link[3].

Engel sind also nicht nur mit dem Himmel, dem Fliegen, dem Licht und dem Göttlichen assoziiert, sondern auch mit Formen wie Kreis, Scheibe, Rad, Punkt oder Kugel. Gut möglich, dass heutige wie frühere Seherinnen und Visionäre die Leuchtstruktur Mouches volantes – seien es vereinzelte Leuchtkugeln, seien es zu Kreisen gebogene Leuchtfäden mit aufgereihten Kugeln darin – als Vermittler des göttlichen Lichts gesehen und erlebt haben. Wenn wir heute unsere Mouches volantes erblicken, sehen wir vielleicht eine Trübung. Vielleicht sehen wir aber auch eine Schönheit, Klarheit und Leuchtkraft in den Kugeln und Fäden, die uns an das göttliche Licht, den Schutz, die Botschaft und Begleitung aus der spirituellen Welt erinnern. Und vielleicht können wir uns sogar so weit öffnen, um sie wie Jill und die Seherinnen und Seher früherer Zeiten als Engel zu erkennen.

Links

Link[1]: *Engelmagazin.de.* engelmagazin.de/mouches-volantes-engel (22.9.22)

Link[2]: en.wikipedia.org/wiki/Ezekiel#/media/File:Ezekiel's_vision.jpg (22.9.22)

Link[3]: klostergeschichten.at/engel.php (13.10.17)

4

Das UFO, das dem Blick folgt

Erstmals erschienen:

Tausin, Floco (2006): „Wenn das UFO dem Blick folgt. Können unidentifizierte Flugobjekte entoptische Phänomene sein?" *JUFOF. Journal für UFO-Forschung 167,* Nr. 5

Entoptische Phänomene sind abstrakte subjektive visuelle Erscheinungen, deren Ursache innerhalb unseres Sehsystems (vom Auge über den Sehnerv bis zum visuellen Sehzentrum im Hirn) liegen, die aber vom Betrachter ausserhalb von sich wahrgenommen werden.

In diesem Artikel frage ich nach dem Verhältnis von entoptischen Phänomenen zu nicht identifizierten Flugobjekten (UFO). UFO-Sichtungen mit physiologisch erklärbaren Erscheinungen in Verbindung zu bringen, ist ein skeptischer Ansatz. Und tatsächlich eignet sich die Erklärung „Sehstörung" oder „Teilchen im Auge" sehr gut, um die Aussagen von Zeugen sowie die ernsthafte UFO-Forschung ins Lächerliche zu ziehen – was von verschiedenen Skeptikern denn auch getan wurde. Entsprechend geben sich viele von mir angefragte Ufologen sehr reserviert gegenüber der Möglichkeit, dass ein Teil der Sichtungen nicht identifizierter Flugobjekte tatsächlich auf entoptische Erscheinungen zurückgehen könnten. Wie relevant ist aber diese Erklärung für die UFO-Forschung wirklich?

Wenn wir uns mit entoptischen Phänomenen in der Ufologie beschäftigen, wird schnell klar, dass wir es mit einem Randphänomen zu tun haben. Literatur darüber gibt es praktisch nicht, angefragte UFO-Forscher kennen keine relevanten Studien oder Statistiken. Allenfalls findet man hier und dort Hinweise auf solche Phänomene, die dann meistens in die grobe Kategorie „Sehstörungen" eingeordnet werden. Dies liegt in der Natur der entoptischen Erscheinungen, denn als Erklärungsansatz kommen sie nur für die „leichten" UFO-Sichtungen in Frage.

Der Astronom Dr. Jacques Vallée klassifiziert die Sichtungen unbekannter Flugobjekte in vier Gruppen (Anomalie, UFO-Vorbeiflug, UFO-Flugmanöver und UFO-Nahbegegnung), die sich durch verschiedene Grade der Intensität, ausgedrückt in fünf Kategorien, auszeichnen. Entoptische Erscheinungen würden demnach stets der ersten Kategorie zuzurechnen sein, d.h. der blossen Sichtung: Es wird ein unbekanntes Flugobjekt gesichtet (Nahbegegnung der ersten Art). Dabei handelt es sich um einen simplen Vorbeiflug oder um ein für ein Flugobjekt unkonventionelles Manöver (z.B. Sprung oder Zickzack-Flug). Und es werden keine bleibenden physikalischen Effekte verursacht, weder in der natürlichen Umgebung noch am Zeugen. Für die Möglichkeit, eine UFO-Sichtung als entoptisches Phänomen zu erklären, kommen noch zwei weitere Bedingungen hinzu: Erstens, das Objekt ist absolut lautlos, was bei UFO-Sichtungen meistens der Fall ist. Und zweitens, es gibt nur einen einzigen Zeugen für die Sichtung, denn entoptische Erscheinungen sind per Definition subjektiv und können nie von mehreren Personen gemeinsam beobachtet werden.

Wir bewegen uns hier also auf einem Gebiet, das für UFO-Forscher eher hinderlich, für die Laien-Anhänger dagegen ziemlich unspektakulär ist, abseits der aufregenden Fotos und mysteriösen Verschwörungstheorien, abseits von verbrannter Erde, geknickten Ästen und Entführungsgeschichten. Ufologen wie Skeptiker bemühen sich gemäss dem wissenschaftlichen Paradigma um Objektivität beim Nachweis bzw. bei der Widerlegung von UFO-Sichtungen und den dazugehörenden Hypothesen. Erst wenn natürliche und menschlich-künstliche Ursachen für eine Sichtung ausgeschlossen werden können, sucht man die Erklärung im Wahrnehmungsprozess der Zeugen. Dies ist der Punkt, wo Psychologen und Wahrnehmungsspezialisten ins Spiel kommen. Die liefern uns wiederum eine ganze Palette von Erklärungen, diesmal allesamt im Subjekt Mensch gründend. Das Spektrum reicht hier von physiologischen Störungen wie „Sehfehlern" über eine Mischung von Physiologie und Psyche – wie sie wahrnehmungsverändernde Bewusstseinszustände mit sich bringen –, bis hin zu rein geistigen Ursachen wie Wunschvorstellungen oder die Erfindung von Geschichten. Und hier haben visuelle Phänomene wie Mouches volantes, Sternchen, Nachbilder und dergleichen durchaus ihren Platz.

Die Schwierigkeit, eine allgemeine Aussage über entoptische Phänomene im Zusammenhang mit UFO-Sichtungen zu machen, liegt in der Vielfalt solcher Erscheinungen. Sie haben unterschiedliche optisch-physiologische und neurologische Ursachen und sehen für den Beobachter auch unterschiedlich aus. Gemeinsam ist ihnen, dass es sich nicht eigentlich um „Sehstörungen", sondern um natürliche bewusstseins- und lichtabhängige visuelle Erscheinungen handelt, die jeder Mensch mehr oder weniger wahrnimmt. Wir haben es also mit subjektiven, aber nicht rein imaginären Erscheinungen zu tun. Doch auch wenn die Augenheilkunde biologische Ursachen nennen kann, sind die einzelnen Phänomene nicht restlos geklärt. Insbesondere ihr Verhältnis zum Bewusstseinszustand des Betrachters, begleitende Erscheinungen wie Licht- und Zoomeffekte, und z.T. auch die Lokalisation können mit den gegenwärtigen medizinischen Vorstellungen nicht hinlänglich beschrieben werden.

Aufgrund ihrer Vielfalt betrachte ich die entoptischen Erscheinungen nun gesondert, wobei ich nur auf die Nachbilder, Sternchen und Mouches volantes eingehe. Die „geometrischen Strukturen" (*form constants*) lasse ich aus, da diese einerseits nur durch eine gezielte und temporäre Bewusstseinsveränderung, herbeigeführt durch Halluzinogene, Trance, asketische Übungen etc., in Erscheinung treten – was für die absolute Mehrheit der UFO-Zeugen nicht zutreffen dürfte. Andererseits sind geometrische Formen zwar ein entoptisches Phänomen, lassen sich aufgrund ihrer engen Verbindung mit aussergewöhnlichen Bewusstseinszuständen aber kaum sauber von anderen subjektiven visuellen Erscheinungen wie Halluzinationen und Visionen trennen.

Nachbilder

Für die Beziehung speziell von Nachbildern und UFO-Sichtungen gibt es meines Wissens keine Daten. Komplementärfarbene Nachbilder entstehen durch längere Konzentration auf einen Gegenstand, dessen Form sich auf der Netzhaut „einbrennt". Nachbilder tendieren dazu, im Blickfeld des Betrachters zu fliessen, können aber durch den Blick in ihrer Richtung und Bewegung beeinflusst werden.

Dass Nachbilder für sich genommen als UFOs wahrgenommen werden, ist m.E. nicht unmöglich, aber sehr unwahrscheinlich, da dies ein allgemein bekanntes Phänomen ist. Zudem wird ein aufmerksamer Beobachter schnell merken, dass das Objekt mit seinem Blick mitwandert und daher innerer Natur sein muss. Denkbarer ist hingegen, dass Nachbilder in der Mystifizierung von tatsächlich vorhandenen Objekten (Flugzeug, Ballon, atmosphärische Erscheinung etc.) eine Rolle spielen: Wenn der Beobachter längere Zeit konzentriert auf ein Himmelsobjekt blickt, entsteht mit der Zeit dessen Nachbild. Dieses kann das Objekt überdecken, ihm je nach Intensität einen bläulichen, rötlichen oder gelblichen leuchtenden Farbton verleihen und sogar seine Form anders aussehen lassen. Dies würde zumindest für die Zeit der konzentrierten Beobachtung kaum bemerkt, da das Nachbild dem Blick folgt und das Objekt permanent überlagert. Für einzelne Fälle, bei denen ein Beobachter über ein Leuchten und über eine Veränderung der Form und Farbe eines nicht identifizierten Objekts berichtet, könnten Nachbilder daher eine Erklärung sein.

Sternchen

Sternchen (auch Kreiselwellen, Korpuskel oder englisch *blue field entoptic phenomenon* genannt) sind hell leuchtende Kügelchen, die sich zahlreich in gewundenen Bahnen bewegen. Obwohl sie auch beim längeren Blick in den blauen Himmel erkennbar sind, treten sie am deutlichsten bei körperlichen Extremzuständen in Erscheinung, die durch intensive Atem- und Körperübungen oder Krankheiten hervorgerufen werden.

Auch Sternchen können nur schwerlich zur Identifizierung von UFOs herangezogen werden. Damit sie gesehen werden, ist ein gewisses Mass an Licht notwendig. Somit sind sie bei nächtlichen UFO-Sichtungen praktisch auszuschliessen. Weiter treten sie üblicherweise nicht gesondert, sondern zu Dutzenden auf – es müsste sich also um eine ganze UFO-Flotte handeln, die darüber hinaus nicht schön in Formation fliegt, sondern sich chaotisch in Kurven bewegt. Noch wichtiger scheint mir aber, dass Sternchen nicht fokussiert werden können. Der Beobachter versucht vergeblich, ihnen mit dem Blick zu folgen.

Es gibt allerdings seltene Sternchen-Wahrnehmungen, die aufgrund ihrer Aussergewöhnlichkeit von einzelnen Individuen als UFOs interpretiert werden könnten. Sehr intensive körperliche Zustände bringen es mitunter mit sich, dass der Betrachter einerseits „statische" Sternchen wahrnimmt. Damit sind nicht die einzelnen Sternchen gemeint, die sich frei in unsichtbaren Bahnen bewegen. Sondern ein Abschnitt einer solchen Bahn oder Röhre, durch die leuchtende Pünktchen in schnellen regelmässigen Abständen fliessen. Dieser Bahnabschnitt bewegt sich allerdings samt seinem Inhalt mit dem Blick mit. Andererseits können Sternchen auch sprunghaft grösser werden und als riesige leuchtende bzw. feurige bewegte Kugeln gesehen werden. Solche Wahrnehmungen sind jedoch, wie gesagt, ausserordentlich selten und werden am ehesten durch eine Kombination aus intensiven Leibes- und Atemübungen herbeigeführt oder in Schockzuständen erlebt.

Mouches volantes (fliegende Mücken)

Mouches volantes sind bewegliche, mit dem Blick beeinflussbare Punkte und Fäden im Blickfeld. Sie gelten in der Augenheilkunde als verschiedenartige, meist harmlose Trübungen im Glaskörper – ein relativ verbreitetes Phänomen, das angeblich bei Kurzsichtigen und mit zunehmendem Alter vermehrt in Erscheinung trete.

Mouches volantes werden meines Wissens als einziges entoptisches Phänomen namentlich in der UFO-Literatur erwähnt. So sieht sich Edgar F. Maurer bereits 1952 genötigt, der amerikanischen UFO-Hysterie vom Ende der 1940er und Anfangs 1950er Jahre einen rationalen Erklärungsansatz entgegen zu halten. In der Zeitschrift „Science" argumentiert er, dass es sich bei den gesichteten UFOs nicht um etwas ausserhalb handeln könne, da die Astronomen, Meteorologen und andere Beobachter der Atmosphäre das Phänomen nicht kannten. Folgerichtig müsse die Ursache des Phänomens innerhalb des Menschen liegen. Mouches volantes seien ein aussichtsreicher Kandidat, denn ihr Aussehen und Verhalten treffe auf häufige Zeugenaussagen zu, nämlich dass die Objekte leuchten und sich ungleichmässig bewegen würden, und dass man ihre Distanz und Geschwindigkeit kaum messen könne.

In der Folgezeit wurden Mouches volantes hie und da erwähnt, um sich einen Scherz mit UFO-Anhängern zu erlauben – was von denen wiederum sehr unterschiedlich aufgenommen wurde. Alvin H. Lawson etwa, Professor für Englisch in Kalifornien und zeitweise Direktor des dortigen UFO Report Center of Orange County, entrüstet sich Mitte der 1980er Jahren über ein Zitat, in welchem ein Arzt die „fliegenden Untertassen" als Punkte vor den Augen („spots before the eyes", d.h. Mouches volantes) parodierte. Seine Antwort: „Careless definition. Spots are spots, not objects, and they don't fly. . ." Andernorts geht man pragmatischer damit um: Die Betreiber einer italienischen UFO-Seite beispielsweise raten, bei UFO-Sichtungen kurz den Kopf hin- und herzubewegen und dabei das Verhalten des UFO zu beobachten. Durch diesen simplen Test könne bereits während der Beobachtung ausgeschlossen werden, dass es sich beim UFO um fliegende Mücken handelt.

Dieser pragmatische Umgang mit Mouches volantes ist für die ernsthafte UFO-Forschung bestimmt die beste Option. Die fliegenden Mücken können aufgrund ihrer runden Form, ihrer Fähigkeit zu leuchten und ihren schnellen, teils verwirrenden Bewegungen sicher mitunter für UFOs gehalten werden. Auch die Zusammenballungen unscharfer Fäden und Punkte könnten die Form klassischer fliegender Untertassen annehmen und mit solchen verwechselt werden. Allerdings gilt dies wie bei den Sternchen nur für den Tag, da auch Mouches volantes ein gewisses Mass an Licht brauchen um wahrgenommen zu werden. Da diese Kugeln und Fäden jedoch weit verbreitet sind und zudem sehr sensibel auf die Augenbewegungen reagieren, d.h. sehr einfach und eindeutig als inneres Phänomen identifiziert werden können, kommt es wohl nur in Ausnahmefällen vor, dass jemand sie mit äusseren nicht identifizierten Flugobjekten verwechselt.

Bis jetzt haben wir die Möglichkeit besprochen, inwiefern einzelne entoptische Erscheinungen als UFOs wahrgenommen werden könnten. Diese Erscheinungen erleben wir jedoch nicht immer gleich. Oft sehen wir sie gar nicht, manchmal nur, wenn wir uns achten. Welche Umstände können in dieser Hinsicht verstärkend wirken? Obwohl die Ursachen für das Erscheinen entoptischer Phänomene verschieden sind, wird unsere Wahrnehmung derselben sehr durch das Mass der Energie beeinflusst, die durch unseren Körper fliesst – dies entspricht meiner Erfahrung als Bewusstseinsforscher. Tendenziell erleben wir innere Phänomene wie entoptische Erscheinungen intensiver, je grösser dieser Energieumsatz ist. Es sind wiederum viele unterschiedliche Faktoren, die diesen Umsatz beeinflussen: z.b. ausgelassene Stimmung, intensive emotionale Erlebnisse, grosse körperliche Betätigung, Atemübungen, Askeseübungen, Trancetechniken inklusive der Einnahme von bewusstseinsverändernden Substanzen. Wann immer die Psyche bzw. das Bewusstsein eines Zeugen oder einer Zeugin von UFOs zur Zeit der Sichtung verändert ist (Angst, Verwirrung, Euphorie, teilweise in Begleitung von körperlichen Symptomen wie Schwindel, Kopfschmerzen etc.), weist dies grundsätzlich auf eine energetisch intensivierte Wahrnehmung hin, die entoptische Phänomene verstärken kann. Zusätzlich muss bedacht werden, dass eine Bewusstseinsveränderung über die übliche Alltagswahrnehmung hinaus häufig von Halluzinationen und sogar Visionen begleitet wird. Wenn sich solche Tagtraumbilder mit entoptischen Erscheinungen verbinden, ist die Wahrscheinlichkeit, dass der Zeuge Letztere auf eine alternative und unkonventionelle Weise deutet, um ein Vielfaches grösser. Doch damit befinden wir uns bereits auf einem viel grösseren und komplexeren Feld der Wahrnehmungspsychologie.

Insgesamt können entoptische Erscheinungen also durchaus als mögliche Ursachen für UFO-Sichtungen gelten. Die Bedingungen hierfür sind jedoch so zahlreich, dass dies wohl selten der Fall sein dürfte. Dies macht entoptische Erscheinungen innerhalb der UFO-Forschung zu einem eher uninteressanten Randgebiet, verglichen mit den spektakulären UFO-Fotos und Berichten über

Nahbegegnungen der zweiten und dritten Art. UFOs, die sich als entoptische Phänomene entpuppen, könnten unter Umständen sogar peinliche Fälle sein – ein gefundenes Fressen für Kritiker um die Bemühungen von Ufologen zu parodieren. Trotzdem sollten seriöse UFO-Forscher diese Erscheinung nicht ignorieren, wenn ihnen daran gelegen ist, die Qualität von Zeugenaussagen zu steigern, unidentifizierte Flugobjekte wann immer möglich zu identifizieren und somit den Weizen vom Spreu zu trennen. Fest steht, dass entoptische Erscheinungen das UFO-Phänomen weder in seiner Gänze erklären, noch widerlegen können.

Literatur

Bourret, Jean-Claude (1977): *UFO. Spekulationen und Tatsachen.* Zug

Cousineau, Phil (1997): *Ufos. Das Handbuch der Phänomene.* Berlin

Gamester, George (1992): „The final frontier has its weird side" *Toronto Star*, 4.2.92

Lammer, Helmut; Sidla, Oliver (1996): *UFO-Nahbegegnungen.* München

Edgar F. Maurer: „Of Spots before the eyes", in: *Sciences, New Series*, Vol. 116, No. 3025 (19. Dez. 1952), S. 693

Smith, Jack (1985): „A belief in UFOs is not a belief in ETs". *Los Angeles Times*, 17.5.85

Woodrow, Nichols; Brooks, Alexander (1981): „Der Hintergrund der Unbekannten Fliegenden Objekte (UFO)". *Sterbeerlebnisse, UFO, Anthroposophie*, hrsg. v. B. Schwengeler. Berneck: 9-62

Links

- ufo.it/testi/unex0005.htm (2.9.19)
- mystae.com/restricted/streams/ufos/phenomenon.html (2006)

5
Holografische Weltmodelle und Indras Netz

Erstmals erschienen:
Tausin, Floco (2008): „Das holografische Weltmodell zwischen Wissenschaft und Sehen". Quelle: Link[1].

Im Science-Fiction-Film *Krieg der Sterne* (1977) verändert sich Luke Skywalkers ödes Leben auf dem Wüstenplaneten Tatooine abrupt, als der eben erst erstandene Astromechdroide R2-D2 plötzlich ein dreidimensionales Abbild von Prinzessin Leia projiziert, die verzweifelt um Hilfe ersucht. Dieses Abbild ist ein Hologramm (von gr. *holos* = „ganz", und gram = „Mitteilung", „Aufzeichnung"), eine durch Lasertechnik erzeugte Darstellung, die nicht nur bildliche, sondern auch räumliche Eigenschaften eines Objekts wiedergibt. Dieses Verfahren basiert auf den Arbeiten des ungarischen Physikers Dennis Gabor (1900-1979) von 1948, erlebte seinen Durchbruch aber erst mit der Erfindung des Lasers 1963.

Hologramme weisen eine faszinierende Eigenschaft auf. In jedem Punkt ist die Information des gesamten Bildes enthalten. Schneidet man ein holografisches Bild in zwei Stücke, so sieht man in jedem Teil wiederum das ganze Bild, so wie man durch ein Fenster mit einem geschlossenen Fensterladen noch immer die gesamte Aussenansicht betrachten kann. Nur der Winkelbereich, unter dem das Objekt zu sehen ist, sowie die Schärfe nehmen dabei ab.

Der Hologramm-Boom im Westen

Hologramme lösten in den 1970er und 80er Jahren geradezu einen Boom aus. Regisseure integrierten sie wie bei *Krieg der Sterne* als futuristische Technik in ihre Werke. Mode-Designer wie die Französin Elisabeth de Senneville und der Japaner Sueo Irié begriffen Hologramme als Bestandteil der High-Tech-Fashion und versahen damit ihre Kreationen. Künstler wie Salvador Dalí, Bruce Naumann, Stephen A. Benton und andere experimentierten mit holografischen Anlagen. Und Schriftsteller begannen zur selben Zeit, lineare Erzählstile hinter sich zu lassen und unkonventionelle Ausdrucksformen zu suchen. So etwa die kanadische Schriftstellerin Nicole Brossard, die in *Picture Theory* (1982) eine Erzählform wählte, die von Kritikern als „holografische Hyperfiktion" bezeichnet wurde. Zur selben Zeit erhielten holografisch funktionierende Heilmethoden wie die Iris- und Zungendiagnostik, die Ohrmuscheltherapie, die Fuss- und Handzonenmassage u.a. im Bereich der Alternativmedizin verstärkte Anwendung.

Auch Wissenschaftler verschiedener Disziplinen liessen sich durch das Hologramm inspirieren. Der Quantenphysiker David Bohm brauchte die Metapher des Hologramms, um seine These zu illustrieren, dass unsere materielle Welt nur eine Projektion einer ganz anderen Realitätsebene sei. Die räumlich ausgedehnte Materie, die „explizite Ordnung", ist für Bohm eine sekundäre, abgeleitete Realität einer „impliziten Ordnung". Diese verhüllte tiefere Seinsordnung bringe unsere Welt hervor, so wie eine holografische Platte das Hologramm. Mit der Vorstellung des Universums als ein riesiges Hologramm liessen sich verschiedene bisher nicht erklärliche Phänomene erhellen, z.B. die Frage, weshalb ein nicht weiter teilbares Teilchen (Quant) sich entweder als Teilchen oder als Welle manifestiert.

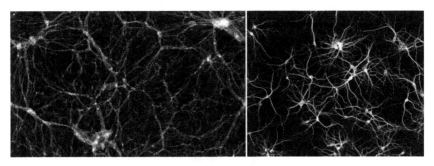

Das Ganze im Teil? Die Ähnlichkeit von makrokosmischer Verteilung der Dunklen Materie im Universum (links, Quelle: Link und der Nervenzellen im Gehirn (rechts, Quelle: Link[3]).

Eine andere berühmte Anwendung des holografischen Modells erfolgte durch den Neurophysiologen Karl Pribram. Er stellte fest, dass Patienten oder Tiere, denen man Teile des Gehirns amputierte, keine wesentliche Beeinträchtigung der Erinnerungsleistung erfuhren. Selbst bei der Entfernung grösserer und für die Gedächtnisleistung als wichtig erachteter Gehirnpartien zeigten die Subjekte keinen Gedächtnisverlust. Inspiriert durch einen Bericht über Holografie kam Pribram zum Schluss, dass das menschliche Gehirn ebenfalls holografisch arbeitet. Offenbar, so Pribrams Überlegung, war das gesamte Wissen in jedem Bereich des Gehirns vorhanden.

Eine Disziplin, die durch das holografische Modell stark beeinflusst wurde, ist die Psychologie. Hier liessen sich damit schwer nachvollziehbare Phänomene des menschlichen Bewusstseins zumindest in Ansätzen erklären. Beispielsweise könnten die aus dem kollektiven Unbewussten stammenden Archetypen, die der Schweizer Psychoanalytiker Carl Gustav Jung (1875-1961) beschrieb, als holografische Projektionen des in allen Menschen schlummernden kollektiven Erinnerungsvermögens verstanden werden. Andere Psychologen, Traumforscher und Bewusstseinsforscher wandten das Modell an um Nahtod-Erfahrungen, „lichten" (luziden) Träumen, paranormalen und mystischen Erlebnissen sowie Psychosen auf die Spur zu kommen.

Während solche Ansätze in weiten Teilen der Physik, Neurowissenschaften und Psychologie als spekulativ gelten und von der Mehrheit der Wissenschaftler abgelehnt werden, haben Philosophen etwas freiere Hand. In der Philosophie nährt und erweitert das holografische Modell jahrtausendalte Vorstellungen und Dispute über die Ganzheit bzw. über das Verhältnis von Teil und Ganzem. Wenn Xenophan (ca. 565-470 v. Chr.) in Platons Dialog *Der Sophist* die Einheit des Ganzen bzw. des Universums feststellt und Augustinus (354-430) die Seele in jedem Körper als „sowohl ganz im ganzen wie auch ganz in jedem seiner Teile" beschreibt, so lassen sich diese Aussagen aus heutiger Sicht als Vorläufer eines holografischen Modells verstehen. Sehr deutlich findet sich ein solches Denken in der Monadenlehre von Gottfried Wilhelm Leibniz (1646-1716), wonach sich in jeder der unzähligen, nicht teilbaren und individuellen Seelensubstanzen, den Monaden, das ganze Universum spiegelt. Zur Veranschaulichung schreibt Leibniz:

„Jedes Stück Materie kann gleichsam als ein Garten voller Pflanzen oder als ein Teich voller Fische aufgefasst werden. Aber jeder Zweig der Pflanze, jedes Glied des Tieres, jeder Tropfen seiner Säfte ist wieder ein solcher Garten und ein solcher Teich" (zitiert nach: Capra 1986).

Indras holografisches Netz im Mahayana-Buddhismus

Moderne Philosophen und Denker wie Ken Wilber sprechen von einem „holografischen Paradigma" und verweisen auf die Gemeinsamkeiten der neuesten wissenschaftlichen Befunde und der ganzheitlichen Weltsicht der Mystiker. Gerade in den östlichen mystischen und religiösen Traditionen lassen sich viele Hinweise auf holografisches Denken finden.

So scheint es z.B., als ob die vielfältigen und komplexen Gleichsetzungen im Hinduismus holografischen Charakter haben:

Gottheiten werden zuhauf miteinander identifiziert, jedes Bächlein kann zum Ganges werden, jede Flamme zum Feuergott Agni. Das vedische Ritual wird in den Upanishaden mit dem Körper gleichgesetzt, der Körper mit dem Kosmos – und überhaupt führt die Vision, dass der Mikrokosmos dem Makrokosmos entspricht, zur Vorstellung eines holografischen Universums, wo jedes Sandkorn das ganze Universum enthält. Ähnliche Vorstellungen sind auch bei den muslimischen Mystikern, den Sufis, verbreitet.

Sehr deutlich wird das holografische Universum in einer Richtung des chinesischen Mahayana-Buddhismus beschrieben. Die Rede ist von der Hua-yen-Schule, die zwischen dem 7. und dem 9. Jh. während der T'ang Dynastie (618-907) blühte und verschiedene Wege des buddhistischen Denkens zu einem fein ausgearbeiteten philosophischen System verband. Wie andere Schulen stützten sich auch die Hua-yen-Buddhisten auf eine zentrale Schrift, deren Inhalte sie auslegten und in philosophischen Abhandlungen verarbeiteten. Es handelt sich um eine Sammlung von verschiedenen Texten, die zusammengefasst als *Blütenornament* (chinesisch: *hua-yen jing*; japanisch: *kegon-kyo*; Sanskrit: *avatamsaka-sutra*; ca. 3./4. Jh. n. Chr.) bezeichnet wurden.

Das *Blütenornament* beschreibt ein nicht-hierarchisches Universum von identischen Objekten, die in ungehinderter kausaler Wechselwirkung zueinander stehen. Identisch sind sie, weil sie – gemäss der Mahayana-Doktrin – letztlich leer sind (skr. *shunya*), d.h. ohne Substanz oder Selbst. Erst durch ihre Wechselbeziehung mit allen anderen Objekten erhalten sie ihre je eigene unverwechselbare Identität. Ein Dachbalken beispielsweise – um ein Gleichnis des dritten Hua-yen-Patriarchen Fa-tsang (643-712) heranzuziehen – wird erst im Verhältnis zu allen anderen Teilen eines Gebäudes zu einem Dachbalken. Ansonsten wäre er nur ein Stück Holz ohne Funktion. Und ohne den Dachbalken könnten auch die anderen Teile nicht das sein, was sie sind. Im kosmischen Inventar der Hua-yen-Philosophie gibt es nichts Böses oder Minderwertiges, jeder individuelle Teil hat seinen Platz und seinen Wert, insofern er allen anderen und dem grossen Ganzen eine Existenz und einen Sinn verleiht. Dieses Universum wird mit verschiedenen Metaphern veranschaulicht, die berühmteste davon ist die alte vedische Metapher von Indras Netz. Indras Netz wird im Buch 28 des *Blütenornaments* beschrieben:

„Die Buddhas erkennen mit ihrer Weisheit, dass der ganze Kosmos der Seienden ohne Ausnahme so wie das grosse Netz im Indra-Palaste ist, so dass alle Seienden wie die Edelsteine an jedem Knoten des Indra-Netzes untereinander unendlich und unerschöpflich ihre Bilder und die Bilder der Bilder u.s.f. in sich spiegeln" (*Kegon Sutra 28*).

Die ganze Welt in jeder Kugel. Künstlerische Darstellung von Indras Netz. Quelle: Link[4].

Diese Beschreibung von Indras Netz findet im Buddhismus noch heute breite Anwendung. Moderne buddhistische Autoren und Lehrer wie der vietnamesische Mönch Thich Nhat Hanh oder der japanische Zen-Meister T. D. Suzuki greifen bei ihren Darlegungen des Buddhismus u.a. auf Indras Netz zurück. Anhänger des engagierten Buddhismus betonen mit Indras Netz die Verbundenheit aller Lebewesen und somit die soziale Verpflichtung gegenüber allen anderen.

Doch auch im Westen wurde Indras Netz populär, um die zunehmende Vernetzung in allen möglichen Bereichen zu beschreiben. Naheliegende Anwendungen finden sich in der Esoterik und der Mystik, die die Verbundenheit aller Wesen betonen. Aber auch soziale Netzwerke und die westliche Philosophie haben Indras Netz als Vergleich und Aushängeschild für sich entdeckt. Der Philosoph David Loy beispielsweise greift auf die Metapher zurück, um die Auswirkungen der Vorstellung von der Wandlungsfähigkeit und dem Austausch aller Dinge für die postmoderne Philosophie zu erkunden. Der Physiker Fritjof Capra nennt Indras Netz, um zu veranschaulichen, dass sowohl die östliche Mystik wie auch die moderne Physik auf dieselbe Erkenntnis gekommen sind, nämlich dass die einzelnen Teile des Universums nicht durch Grundgesetze, sondern durch die Eigenschaften aller anderen Teile bestimmt seien. Informatiker wiederum wenden die Metapher gerne auf Programme und Projekte der gegenwärtigen Internet- und Kommunikationstechnologie an. Und in der fraktalen Geometrie, einem Teilgebiet der Mathematik, staunen Forscher über die Parallelen von bestimmten Fraktalen zu Indras Netz, insofern auch hier jeder Teil das Ganze enthält.

Die Perlen Indras. Die Autoren schreiben u.a. zu diesem Fraktal: „There is no religion in our book but we were amazed at how our mathematical constructions echoed the ancient Buddhist metaphor of Indra's net, spontaneously creating reflections within reflections, worlds without end" (Mumford u.a. 2001).

Indras Netz als Gegenstand des Sehens

Die Begeisterung für Indras Netz und generell für das holografische Weltmodell widerspiegelt meiner Ansicht nach ein tatsächlich holografisch arbeitendes Bewusstsein. Nicht nur moderne psychologische und neurophysiologische Arbeiten, sondern auch die visuellen Wahrnehmungen von Mystikern und Sehern verschiedener Zeiten und Kulturen unterstützen diese Vermutung.

So ist die Philosophie der Hua-yen-Buddhisten nicht einfach nur Philosophie. Nach der Tradition basiert die Hua-yen-Lehre auf den Lehrreden des Buddha, die dieser hielt, als er noch im Erleuchtungszustand (*samadhi*) war. Der Buddha, so wird erzählt, trat unter dem Bodhi-Baum in *samadhi* ein. In diesem Zustand sah er den Kosmos mit einem „universellen Auge". Dieses universelle Auge liefert eine intuitive Wahrnehmung der wahren Natur der Dinge, die durch das fleischliche Auge nicht gesehen werden können. Der Sanskrit-Ausdruck dafür ist *prajña*, wörtlich das „Vor-Wissen", d.h. eine intuitive unmittelbare Erkenntnis. Hua-yen-Philosophen waren also bestrebt, die Erleuchtungsvision des wahren Universums so vollständig wie möglich zu beschreiben.

Bekanntermassen schliessen aussergewöhnliche und intensivere Bewusstseinszustände, wie die im Hua-yen-Buddhismus beschriebene Erleuchtungsvision, nicht nur bildliche Visionen und Halluzinationen ein, sondern auch entoptische Phänomene. Vor diesem Hintergrund verstehe ich Indras Netz als eine kulturelle Metapher, die u.a. die Wahrnehmung entoptischer Erscheinungen wie der Leuchtstruktur Mouches volantes bei hoher Bewusstseinsintensität widerspiegelt.

Darstellungen entoptischer Phänomene: a) „Sternchen"; b) Leuchtstruktur Mouches volantes; c) verschiedene Arten von Formkonstanten; d) Nachbild einer Kerzenflamme bei geschlossenen Augen. Quelle: Floco Tausin.

Dies ist der Grund, weshalb sich die Leuchtstruktur besser durch holografische Modelle wie Indras Netz beschreiben lassen als durch das mechanische Modell der Physiologie und Augen-heilkunde. Die mechanische Sicht der Mouches volantes reduziert das Phänomen auf „Teilchen" oder „Verklumpungen" im

Glaskörper, die sich nach den Gesetzen der Schwerkraft, der Thermodynamik und den Drehbewegungsimpulsen des Augapfels in der Glaskörperflüssigkeit bewegen. Für das oberflächliche Sehen im Alltagsbewusstsein mag das ausreichen. Doch bereits die längere aufmerksame Konzentration auf Mouches volantes, und insbesondere das Sehen der Leuchtstruktur in intensiveren Bewusstseinszuständen, enthüllen Eigenschaften, die nicht mehr mit dem mechanischen Modell erklärt werden können, dafür aber mit Indras Netz und weiteren holografischen Konzepten der Hua-yen-Philosophie.

Indras Netz

Indras Netz als Metapher für das Hua-yen-Universum besteht wie die Leuchtstruktur aus zwei Grössen: einerseits aus Knoten, andererseits aus den Verbindungen zwischen diesen Knoten. Woraus die Verbindungen genau bestehen, ob wir uns diese als „Schnüre", „Strahlen", „Fäden" oder „Röhren" vorstellen müssen, wird aus dem *Blütenornament* nicht klar. Über die Knoten hingegen wissen wir mehr: sie enthalten Edelsteine.

Bei der Leuchtstruktur sprechen wir von Fäden und Punkten, bzw. von Röhren und Kugeln. Die Röhren sind mit Kugeln gefüllt, und manche dieser Kugeln werden zu „Knoten", insofern sie mehrere Röhren miteinander verbinden. Die Kugeln bestehen, wie die Knoten in Indras Netz, aus zwei Teilen, einem Kern (Edelstein) und dem Gebilde (Knoten), das den Kern enthält. Auch die

Beschreibung dieses Geflechts als „Netz" und als „Struktur" stimmt weitgehend überein: Beide Begriffe bezeichnen ein Gebilde, das einen geordneten Aufbau hat. Während aber der Begriff der Struktur die Anordnung von Teilen in einem Ganzen betont und durch seine Abstraktion weniger zugänglich ist, bezeichnet ein Netz ein geordnetes Geflecht aus Fäden und ist für uns durch den vielfältigen Bezug zum Alltag greifbarer.

Der Teil und das Ganze

Die Hua-yen-Buddhisten unterscheiden den Teil und das Ganze, die beide gleichzeitig im Universum bestehen. Teil und Ganzes werden mit den chinesischen Begriffen *shih* und *li* ausgedrückt. *Shih* ist der Teil bzw. das Besondere, Konkrete, Individuelle und die Form (skr. *rupa*). *Li* steht für das Ganze bzw. das Prinzipielle, die Totalität, das Universale und die Leere (skr. *shunyata*). *Li* hat keine Qualitäten wie Form, Farbe, Geruch, Geschmack etc. Aber es kann Qualitäten annehmen und sich dadurch als *shih*, als Teil, ausdrücken. Genauso wie ein Goldklumpen die Form und Qualitäten eines Rings oder einer Kette annehmen kann.

Gleiches finden wir auch in der Leuchtstruktur. Hier aber muss ich zunächst einiges vorausschicken, was auf den Aussagen des Sehers Nestor sowie auf meinem eigenen Sehen beruht. Was wir üblicherweise als Mouches volantes bezeichnen sind vereinzelte Kugeln und Fäden. Schon nach einigen Malen der Beobachtung können wir feststellen, dass es sich stets um dieselben Punkte und

Fäden handelt. Wir können sie als unser „individuelles Muster" bezeichnen. Dieses Muster bewegt sich in unserem Blickfeld, wobei die Bewegung flüssig erscheint. Betrachten wir unsere Punkte und Fäden aber mit zugekniffenen Augen durch die Wimpern hindurch, können wir beobachten, dass die diese Bewegung teilweise ruckartig ist – die Punkte und Fäden machen kleine Sprünge. Die Seher berichten, dass sich diese sprunghafte Natur unseres individuellen Musters sehr deutlich und auch bei offenen Augen in erweiterten Bewusstseinszuständen zeigt: die Kugeln und Röhren können abrupt in die Nähe springen.

Was bedeutet das? Wir interpretieren das so, dass die Leuchtstruktur das Resultat einer Projektion ist. Unser Bewusstseinslicht drückt sich in einem individuellen Muster von Punkten und Fäden aus – so wie sich unser Bewusstsein auch durch unsere individuellen Körperbewegungen, Gefühle und Gedanken ausdrückt. Wenn es also den Anschein hat, als würden unsere Punkte und Fäden im Blickfeld springen, bedeutet dies, dass dieses individuelle Muster unendlich viele Male und in unzähligen Variationen bereits existiert und je nach Bewusstseinszustand örtlich und energetisch verschieden beleuchtet wird. Es muss in unserem Sehsystem also bereits eine vollständige Struktur geben, die bei entsprechender Beleuchtung durch unser Bewusstsein alle möglichen Kombinationen von Punkten und Fäden auszudrücken vermag. So wie wir auch annehmen können, dass da bereits eine Leinwand ist, auf die wir einen Film oder ein Diapositiv projizieren. Dass es eine ganze Struktur gibt, und nicht nur diese vereinzelten Punkte und Fäden, können wir ausserdem daran feststellen, dass in intensiveren Bewusstseinszuständen weitere Punkte und Fäden aufleuchten.

Während also diese Struktur, das Ganze bzw. *li*, immer da ist, beleuchten wir unsere individuellen Kugeln und Fäden, also den Teil bzw. *shih*, immer wieder etwas anders, leuchtender, grösser, kleiner, schärfer, unschärfer etc., je nach unserem Bewusstseinszustand. Das Muster (*shih*) ist also ein beleuchteter, Form gewordener Teil einer ganzen Struktur (*li*), die selbst grösstenteils verborgen ist und keine klare Form hat.

Wechselwirkung

Die Hua-yen-Philosophie befasst sich nicht eigentlich mit den Teilen, auch nicht mit dem Ganzen. Sondern sie fragt nach dem Verhältnis zwischen Teilen und Ganzem sowie nach dem Verhältnis der Teile untereinander. Dieses Verhältnis lässt sich als dauernder Austausch verstehen: Teile und Ganzes gehen gegenseitig ineinander ein, durchdringen sich gegenseitig, umfassen sich, absorbieren sich, verschmelzen miteinander. Gleichzeitig bleiben sie aber sich selbst, sie verlieren ihre individuelle Identität nicht.

Die Dinge im Universum existieren nur in dieser Wechselwirkung, denn da alle Dinge leer sind (skr. *shunya*) und keinen Wesenskern oder Selbstessenz (skr. *svabhava*) haben, haben sie auch keine Realität aus sich selbst heraus. Der individuelle Teil kann niemals etwas aus oder durch sich selbst sein, sondern wird durch alle anderen Teile und das Ganze bedingt; er kann auch niemals etwas aus oder durch sich selbst hervorbringen, sondern nur im Austausch mit den anderen: Der Same einer Pflanze beispielsweise ist nur deshalb ein Same, weil alle anderen Dinge sich von ihm unterscheiden; gäbe es die anderen nicht, gäbe es auch kein Same. Zudem kann er allein keine Pflanze hervorbringen, sondern er integriert dazu die Qualitäten der anderen Teile, des Wassers, der Sonne, der Luft und der Erde.

Diese Wechselwirkung führt zu einem holografischen Modell des Universums, wie Fa-tsang in seinem populären Werk *Über den Goldenen Löwen* beschreibt. Hier erklärt der Hua-yen-Lehrer die Aspekte von Indras Netz anhand des Beispiels eines Goldenen Löwen, wobei der Löwe das Individuelle (*shih*) und das Gold das Ganze (*li*) darstellt:

„Der goldene Löwe ist in jeder einzelnen Pore auf des Löwen Körper, in seinen Sinnesorganen, Augen, Ohren, seinen Gliedern usw. als ganzer Löwe enthalten, insofern als sie alle das Gold sind. Jeder einzelne dieser goldenen Löwen geht gleichzeitig ein in jedes einzelne Haar, jeder seine unterschiedliche Individualität wahrend; eine unendliche Zahl von Löwen ist jetzt manifest in jedem einzelnen der Haare, die den Körper des Löwen bedecken. Jeder aus dieser unendlichen Zahl von Löwen, alle übrigen mit sich führend, geht seinerseits ein in jedes andere Haar, auf diese Weise den Körper des Löwen bedeckend mit unendlich komplizierten Systemen, die ihn selber immer widerspiegeln. Das ist Indras Perlennetz" (zitiert nach Suzuki 1993).

Auch in der Bewusstseinsstruktur sind sowohl der Teil als auch das Ganze durch die jeweils anderen bestimmt. Jede Kugel in dieser Struktur kann grundsätzlich – bei entsprechender Beleuchtung – Teil unseres individuellen Musters sein. Insofern das individuelle Muster ohne diese eine Kugel nicht existieren könnte, ist diese Kugel die Ursache für das Muster. Das Muster wiederum bedingt auch die Kugel, denn ohne die Beleuchtung im Rahmen dieses Musters, könnte diese Kugel nicht gesehen werden und wäre für den Betrachter nicht existent. Soweit zum Verhältnis zwischen Teil und Teil, bzw. zwischen Kugel und Muster.

Wie sieht es aus mit dem Verhältnis zwischen Teil und Ganzem? Ohne die Kugeln bzw. ohne unser beleuchtetes individuelles Muster gäbe es auch die ganze Bewusstseinsstruktur nicht. Diese ist die Summe der Teile. Umgekehrt aber ist in jeder Kugel letztlich auch die gesamte Struktur enthalten. Dies muss erläutert werden.

Der Weg in der Leuchtstruktur ist ein Weg der Reduktion. Eine Seherin oder ein Seher sieht mit zunehmendem Fortschritt in der Bewusstseinsentwicklung immer weniger Kugeln, dafür grössere. Oder anders gesagt: Bei Sehern verteilt sich dieselbe Menge Bewusstseinslicht auf weniger Kugeln, die dafür grösser sind und intensiver leuchten. Die Seher gehen davon aus, dass jede und jeder eine individuelle letzte Kugel hat, auf die wir zugehen und in die wir beim Einschlafen und Sterben eingehen. Das Eingehen in diese Kugel, so die Annahme, löst die Polarität der Welt auf. Mit dieser letzten Kugel wird also die Erfahrung der Vollständigkeit, der absoluten Ruhe und Glückseligkeit assoziiert. Dies bedingt, dass alle Vorstellungen von Ganzheit und Vollständigkeit, auch jene einer Bewusstseinsstruktur, in dieser einen Kugel aufgehen. In diesem Sinn ist jede einzelne Kugel in dieser Struktur das Zentrum eines Individuums, das die gesamte Struktur in sich enthält und potenziell wieder aus sich heraus entwickeln kann.

Identität

Aus dem bisher Gesagten folgt, dass sowohl die Teile in Indras Netz als auch der Teil und das Ganze identisch sind. Identität bezeichnet grundsätzlich dasselbe wie die Wechselwirkung, nur betont sie das statische, nicht das dynamische Verhältnis zwischen den Teilen und dem Ganzen.

Wir können Fa-tsangs Gleichnis vom Sparren (Dachbalken) und dem Gebäude heranziehen, um die Identität zu erläutern. Um ein Haus zu bauen, braucht es Sparren. Letztlich gibt es zwischen Sparren und Gebäude aber keinen Unterschied, und zwar in doppelter Hinsicht: 1) das Gebäude existiert nicht unabhängig von den partikularen Dingen wie dem Sparren: Wo es keinen Sparren gibt, gibt es auch kein Gebäude, d.h. das Gebäude ist der Sparren; 2) jedes Ding ist mit allen anderen identisch in der Hinsicht, dass es eine Bedingung für alle anderen ist. Oder anders formuliert: Alle Dinge sind identisch, weil sie keinen differenzierten Wesenskern oder kein Eigenwesen (skr. *svabhava*) besitzen, d.h. leer (skr. *shunya*) sind. Leerheit ist hier nicht in einem negativen Sinn zu verstehen. Wenn etwas leer ist, bedeutet das nicht, dass es nicht existiert. Eine Geldbörse existiert, auch wenn sie leer ist. Leerheit ist immer mit Form verbunden. Wo das Eine ist, muss auch das Andere sein, wo *li* ist, muss auch *shih* sein.

In gleicher Weise sind die einzelnen Punkte und Fäden mit der Leuchtstruktur identisch. Sie erhalten ihre Existenz und ihren Sinn nur innerhalb der Gesamtstruktur. Und die Struktur kann ohne die konkreten beleuchteten Kugeln und Fäden nicht existieren. Wie in der buddhistischen Philosophie bedeutet Leerheit auch hier, dass es zwar keine eigentlichen Dinge mit Substanz gibt, dass aber trotzdem Formen in der Leerheit wahrgenommen werden können. So wie der Hua-yen-Buddhist versucht, in der konkreten Form (*shih*) die Leere (*li*) zu erblicken, versucht der Seher, durch all die individuellen und leeren (da projizierten) Kugeln und Fäden hindurch zu der einen Kugel vorzudringen, die das Gesamte in sich enthält.

Verschmelzung von *li* und *shih*

Befreiend nach dem Hua-yen-Buddhismus sind nicht die eben dargelegten Gedanken, obwohl sie zur Befreiung hinführen können. Die Erleuchtung geht viel mehr zusammen mit dem Sehen der wahren Natur des Universums in einem intensiveren Bewusstseinszustand. Im 34. Buch des *Blütenornaments*, dem *Buch vom Eintreten in den Kosmos der Wahrheit,* wird vom Bodhisattva gesagt, dass er „mit mutiger Anstrengung die Taten und Werke der Indra-Netze hervorbringt":

„Das Meer der Begleiter Buddhas zu schauen, das Meer der Geisteskonzentrierungen zu ergründen und das grosse Verlangen zu befriedigen, das sind die Taten und Werke der Indra-Netze" (*Kegon Sutra 34*).

Und noch deutlicher im selben Buch:

„[Die Bodhisattvas] richten die Werke der herrlichen Strahlung des ‚Netzes des Himmelskönigs Indra' auf und hängen nie an etwas Seiendem, um allein die Grundwahrheit zu ergreifen."

Im 17. Buch des *Blütenornaments*, wo die Tugenden und Errungenschaften eines Bodhisattva aufgezählt werden, heisst es u.a., dass dieser in den Kosmos der Wahrheit bzw. in Indras Netz eingehen wird. Und nach Fa-tsang gelangt man zum höchsten Bewusstsein durch die Betrachtung der Verschmelzung von *li* und *shih*, von Ganzem und Teil.

In der Philosophie des Sehens der Leuchtstruktur ausgedrückt bedeutet das: Die Konzentration auf die Punkte und Fäden beleuchtet und entwickelt unser individuelles Muster und führt uns zur Erkenntnis der wahren fraktalen und holografischen Natur der Leuchtstruktur. Befreiung erfolgt durch das „Eingehen in Indras Netz", d.h. durch das Eingehen in die letzte Kugel, die Quelle, wo es zwischen Teil und Ganzem keinen Unterschied mehr gibt.

Die Leuchtstruktur als Quelle für holografische Weltmodelle und Hologramme

Die Nähe von Indras Netz und der Leuchtstruktur könnte seinen Grund also im Sehen in intensiveren Zuständen haben. Demnach hat das Sehen der Leuchtstruktur und ihrer Eigenschaften zu visionären Beschreibungen und Spekulationen über den Kosmos geführt – zu Weltmodellen, die wir aufgrund ihrer Eigenschaften heute „holografisch" nennen. Indras Netz, wie es im chinesischen Hua-yen-Buddhismus beschrieben und weiterentwickelt wurde, ist ein deutliches Beispiel dafür. Wenn wir also aufmerksam hinschauen, erblicken wir die Quelle für die holografische Faszination im Westen wie im Osten direkt vor unserer Nase.

Literatur

Doi, Torakazu (1983): *Das Kegon Sutra* (Bd. 1-4). Tokyo

Capra, Fritjof (1986): *Das Tao der Physik*. Bern u.a.

Cook, Francis H. (1977): *Hua-yen Buddhism: The Jewel Net of Indra*. University Park: Pennsylvania State University Press

Davis, Erik (1996): „Meditations on the Indranet". *Mediamatic.net*. mediamatic.net/article-5699-en.html (22.9.22)

Jackson, William J. (2004): *Heaven's fractal net. Retrieving lost visions in the Humanities*. Indiana University Press

Lauxmann, Frieder (2000): *Das philosophische ABC. Neue Wege zu alten Einsichten*. München

Loy, David (1993): „Indra's Postmodern Net". *Philosophy East and West* 43, Nr. 3: 481-510

Mumford, David u.a. (2001): *Indra's Pearls. An Atlas of Kleinian Groups*. Cambridge

Nhat Hanh, Thich (2006): *Understanding our Mind*. Prallax Press

Needham, Joseph (1956): *Science and Civilisation in China*. London: Cambridge University Press

Ritter, Joachim u.a. (Hg.) (1971-2007): *Historisches Wörterbuch der Philosophie* (13 Bde.). Basel: Schwabe & Co.

Suzuki, Daisetz T. (1993): *Wesen und Sinn des Buddhismus. Ur-Erfahrung und Ur-Wissen*. Freiburg u.a.

Talbot, Michael (1992): *Das holografische Universum. Die Welt in neuer Dimension*. München: Knaur

Tausin, Floco (2010): *Mouches Volantes. Die Leuchtstruktur des Bewusstseins*. Bern: Leuchtstruktur Verlag

Wilber, Ken (Hg.) (1986): *Das holographische Weltbild. Wissenschaft und Forschung auf dem Weg zu einem ganzheitlichen Weltverständnis*. Bern u.a.

Links

Link[1]: *Virtuelles Magazin 2000* 49.
archiv.vm2000.net/49/flocotausin/holografischesmodell.html (22.9.22)

Link[2]: phys.org/news/2016-02-black-holes-banish-cosmic-voids.html (22.9.22)

Link[3]: fractalfoundation.org/OFC/OFC-1-6.html (22.9.22)

Link[4]: bodhikids.org/indras-net-yarn-toss (2.9.19)

- fusionanomaly.net/indrasnet.html (22.9.22)
- zenpeacemakers.org/about/models.htm (Mai 2008)
- home.egge.net/~savory/spinne.htm (Mai 2008)
- liebewahrheit.de/NetzderIndra.htm (Mai 2008)
- indranet.co.nz/ (Mai 2008)
- klein.math.okstate.edu/IndrasPearls/ (22.9.22)

6

Kokons und Fasern

Erstmals erschienen:

Tausin, Floco (2007): „Kokons und Fasern – Leuchtkugeln und Leuchtfäden. Mouches volantes als Inspirationsquelle für Carlos Castaneda?" *Q'Phaze – Realität anders! 7*

„Es waren keine richtigen Blasen, nicht wie Seifenblasen, auch nicht wie ein Ballon oder ein anderer dreidimensionaler Behälter. Sie hatten keine Hülle, und trotzdem hatten sie einen Inhalt. Auch waren sie nicht rund, obgleich ich anfangs, als ich sie sah, geschworen hätte, dass sie rund waren, und das Bild, das mir in den Sinn kam, war ‚Blasen'. Ich betrachtete sie, als schaute ich durch ein Fenster. Das heisst, der Fensterrahmen erlaubte mir nicht, ihnen zu folgen, sondern gab mir nur die Möglichkeit, zu beobachten, wie sie in mein Gesichtsfeld gerieten und wieder verschwanden" (Castaneda 1975).

Der Ethnologe und Kultschriftsteller Carlos Castaneda (CC) hat massgeblich zum Aufkommen eines westlich geprägten Schamanismus im Rahmen des New Age und der Esoterik beigetragen.

Mehr als zehn Bücher hat CC seit den 1960er Jahren bis zu seinem Tod im April 1998 veröffentlicht, es seien allesamt

ethnologisch relevante Sammlungen von tatsächlich stattgefunde-
nen Gesprächen und Erlebnissen mit dem mexikanischen Yaqui-
Indianer und Schamanen Don Juan Matus (DJ) sowie mit dessen
Gefährten. Zwar ist die Authentizität von CCs Büchern nicht nur
in der Ethnologie stark umstritten; doch eine weltweite Gesamt-
auflage in Millionenhöhe zeugt davon, dass CCs gesellschafts-
und vernunftkritische Ideen Balsam für eine ganze Generation
war, die ihre Ablehnung der bürgerlichen Politik und Ideologie
nicht verhehlte. Balsam waren und sind die Bücher von CC auch
für die darauf folgende Generation, deren spiritueller Weg nach
innen kaum noch von religiösen Institutionen geprägt ist, und die
sich dankbar die faszinierende Gegenwelt der Zauberer zu eigen
macht – eine alternative Wirklichkeitsbeschreibung, basierend auf
den Erfahrungen erweiterter Bewusstseinszustände, untermauert
durch die Authentizität eines indianischen Schamanismus und
mitgeteilt in einem flotten dialogischen Schreibstil.

Aufgrund meiner Erfahrungen mit subjektiven visuellen Phänomenen, interessiere ich mich in diesem Artikel für die Objekte des
Sehens in den Büchern von CC. Ich gehe der Frage nach, ob die
durch den Vorgang des „Sehens" gemachten zentralen Beobachtungen von geometrischen Formen und Objekten sowie die darauf
basierenden Konzepte durch die Wahrnehmung von Mouches
volantes inspiriert sind. Gemäss eigenen Erlebnissen sowie den
Angaben des im Schweizer Emmental lebenden Sehers Nestor
verstehe ich das in der Augenheilkunde bekannte entoptische
Phänomen der Mouches volantes nicht als Glaskörpertrübung,
sondern als leuchtende „Bewusstseinsstruktur" (Tausin 2010a).

Durch den Prozess der Bewusstseinsentwicklung, also die kurz- und langfristige Intensivierung des Bewusstseins durch psycho-physische Übungen, entwickeln sich die Mouches volantes von einzelnen, kleinen, beweglichen und transparenten Punkten und Fäden zu einer grossen und stabilen Leuchtstruktur. Ich bin davon überzeugt, dass diese Leuchtstruktur mit der Architektur unseres Nervensystems korrespondiert (Tausin 2008) und damit – im Gegensatz zu den kulturell und individual-psychologisch be-dingten Träumen – eine kulturunabhängige, universelle Wahr-nehmung ist. Als solche wurde und wird die Leuchtstruktur von sibirischen und südamerikanischen Schamanen während der ritu-ellen Bewusstseinsveränderungen immer wieder gesehen und ge-deutet (Tausin 2010b).

Meine These ist entsprechend, dass CC den Punkten und Fäden der Leuchtstruktur in seinen intensiveren Bewusstseinszuständen begegnet sein muss. Ich gehe davon aus, dass CCs Erfahrungs-berichte auf tatsächlich erlebten gesteigerten Bewusstseinszustän-den basieren, die teilweise durch die Einnahme von halluzino-genen Pflanzen hervorgerufen wurden. Gemäss guter Tradition schriftstellerischer und künstlerischer Freiheit wird er diese Er-fahrungen jedoch ausgeschmückt und in einen mehr oder weniger fiktiven Kontext seiner Lehrzeit bei Don Juan gesetzt haben. Was in seinen Büchern Fakt ist und was Fiktion, erörtere ich hier nicht im Detail. Entsprechend kann die Ausgangsfrage auch nicht mit absoluter Gewissheit beantwortet werden. Doch CCs Erlebnis-berichte vor dem Hintergrund der Wahrnehmung der Leuchtstruktur Mouches volantes zu begreifen, bringt ein realistischeres Verständnis seiner Leistung der Bewusstseinsintensivierung.

In meinen Ausführungen stütze ich mich zum grössten Teil auf die deutschen Ausgaben der ersten sieben Bücher von CC:

1) *Die Lehren des Don Juan*
2) *Eine andere Wirklichkeit*
3) *Reise nach Ixtlan*
4) *Der Ring der Kraft*
5) *Der zweite Ring der Kraft*
6) *Die Kunst des Pirschens*
7) *Das Feuer von innen*

Die restlichen Bücher sind grösstenteils Rekapitulationen und theoretische Erweiterungen des bestehenden Systems.

Die subjektiven visuellen Phänomene

Subjektive visuelle Phänomene sind in Castanedas Büchern keine Seltenheit. Bewegende Flecken, Schatten, sowie kugelförmige und fädenartige Gebilde werden laufend beschrieben und kontinuierlich ausgearbeitet.

1) Flecken und Schatten

Flüchtige Flecken und Schatten bezeichnen grundsätzlich solche
Objekte, die der Betrachter nicht richtig erkennen kann. Dies trifft
sowohl auf die Leuchtstruktur Mouches volantes zu, die teilweise
als diffuse Flecken, Schatten oder dunkle Wolken erlebt werden.
Und es trifft auf flüchtige Wahrnehmungen bei CC zu. CC sieht
immer wieder Schatten, die DJ jeweils als irgendwelche Wesen-
heiten erklärt, sei es der Tod, der Verbündete oder andere Geister.
Typisch ist jene Stelle im zweiten Buch, wo CC im Feuer ein
flüchtiger Fleck wahrnimmt, der mit grosser Geschwindigkeit von
rechts nach links huscht; bei erneutem Hinsehen gleitet derselbe
Schatten von da wieder zurück. Diese Erscheinung, deren Bewegung an die Mouches volantes erinnert, wird von DJ als „Geist"
erklärt, und später bezeichnenderweise als „Blase". Erwäh-
nenswert ist zudem der sogenannte „Flieger", der einzig im zehn-
ten Buch *Das Wirken der Unendlichkeit* beschrieben wird. Der
Flieger sei angeblich ein räuberisches Wesen, das sich von der Be-
wusstseinsenergie der Menschen ernährt. Dieses „anorganische"
Wesen kann als flüchtigen Schatten wahrgenommen werden, der
durch die Luft „hüpft" oder „springt". Interessant in diesem
Zusammenhang ist eine Aussage der drei „Chacmool"-Frauen
Kylie Lundahl, Reni Murez und Nyei Murez. Das betreffende In-
terview mit diesen Frauen aus CCs innerem Zirkel – sie galten als
„Beschützerinnen" und „Übersetzerinnen" der alten Linie der
Zauberertradition – erschien am 1. Juni 1995 im Magazin *Kindred
Spirit*. Angesprochen auf das „räuberische Universum" erklärten

die Frauen, dass diese so genannten Flieger manchmal als *floaters* (engl. für Mouches volantes) im Auge erklärt werden.

Allerdings deckt sich die Beschreibung der Flieger kaum mit den Kugeln und Fäden der Leuchtstruktur. Der gravierendste Unterschied ist wohl, dass die Flieger als grosse undurchdringliche Schatten beschrieben werden und nur im Dunkeln gesehen werden können, während wir für die Wahrnehmung der Leuchtstruktur Mouches volantes ein gewisses Mass an Licht brauchen. Doch diese Antwort zeigt, dass die Leute um CC (und damit höchstwahrscheinlich auch CC selbst) mit dem Phänomen der Mouches volantes vertraut waren. Das Konzept der räuberischen Flieger begann im letzten Lebensabschnitt von CC („Workshop-Zeit") eine prominente Rolle zu spielen, wie den Workshop-Protokollen und Texten auf *sustainedaction.org* entnommen werden kann. CC soll sogar Fotos mit solchen Fliegern gezeigt haben.

2) Die Goldenen Blasen

Die Blasen, die CC im zweiten und vierten Buch (*Eine andere Wirklichkeit* und *Der Ring der Kraft*) während verschiedenen nichtalltäglichen Bewusstseinszuständen wahrnimmt, werden ziemlich obskur beschrieben: Sie hätten keine Hülle aber einen Inhalt, sie seien nicht rund und doch Blasen. Im zweiten Buch erlebt sie CC als grünlich in der Farbe, im vierten dagegen spricht er – mit Bezug auf das Erlebnis im zweiten Buch – von goldenen

Blasen. Zuweilen wird die rundliche leuchtende Erscheinung auch als Ball, Feuerball oder Feuerkugel beschrieben.

Charakteristisch ist, dass sich diese transparenten Blasen aneinanderreihen und auf die eine oder die andere Weise grösser werden. Im zweiten Buch muss CC ihnen folgen, sie festhalten und sie „besteigen", um mit ihnen fortzuschweben, was ihm schliesslich gelingt. Im vierten Buch dagegen kommen die Blasen auf ihn zu und hüllen ihn ein. Die Transparenz, die Aneinanderreihung sowie das Näherkommen dieser Blasen sind Hinweise auf die Leuchtstruktur Mouches volantes: Auch da können die Kugeln sowie die Fäden, die teilweise aus aneinandergereihten Kugeln bestehen, in intensiven Bewusstseinszuständen näher rücken.

Adler in einer transparenten Blase. Quelle: Link[l].

Andererseits werden diese Blasen auf konkrete Lebewesen bezo-
gen. So sieht CC in einer solchen (geplatzten!) Blase einen Freund
von ihm, ein andermal sieht er DJs Freund Genaro. Diese
Wahrnehmung passt zum Konzept der Blasen, das im vierten
Buch erstmals im Rahmen der „Erklärung der Zauberer" entwor-
fen wird: Wir Menschen würden in Blasen leben, die sich infolge
unserer Sozialisation geschlossen haben und die von innen (durch

uns selbst) oder von aussen (durch den Wohltäter) wieder geöffnet werden müssen, um die Ganzheit unserer selbst zu erkennen und die endgültige Freiheit zu erlangen. Dieses Konzept wird beständig ausgebaut und erreicht im siebten Buch (*Das Feuer von innen*) einen Höhepunkt bezüglich theoretischer Komplexität. Der Begriff „Blase" wird allmählich durch „leuchtende Eier" bzw. „Kokons" abgelöst, womit sich auch die Vorstellung der Form verändert: Haben wir es in den frühen und mittleren Büchern noch vermehrt mit kreisrunden Objekten zu tun, gelten dieselben Objekte später als eher länglich.

3) Leuchtende Eier und Kokons

Neben den Blasen wird bereits im zweiten Buch die von den Sehern gesehene Form des Menschen als leuchtendes Ei beschrieben. Dieser Begriff wird aber nur kurz erwähnt und erst im fünften Buch (*Der zweite Ring der Kraft*) weiter ausgeführt, wo es heisst, dass nur gewöhnliche Menschen wie Eier aussehen, während Zauberer eine Form von oben und unten abgerundeten Grabsteinen aufweisen würden. Auf diesem Unterschied wird in den folgenden Büchern jedoch nicht beharrt, vielmehr ist nur noch von „Eiern" und später von „Kokons" die Rede.

Die Bilder dieser Eier oder Kokons variieren: Im sechsten Buch (*Die Kunst des Pirschens*) beschreibt CC, dass diese Eier eine äussere, dunklere Hülle und einen inneren gelblich leuchtenden Kern hätten, und dass sie schwebten oder gleiteten. In diesem und anderen Büchern erfahren wir allerdings auch, dass die Eier in der Mitte dunkle Flecken, Dellen oder ein schwarzes Loch aufweisen – was angeblich ein Hinweis auf Energieverlust sei, welcher durch das Zeugen von Kindern entstünde. Beide Beschreibungen treffen auf die konzentrischen Kugeln der Leuchtstruktur zu. Auch dort gibt es nachprüfbar zwei Arten, solche mit dunklerer Aussenhülle und hellerem Kern, und umgekehrt, solche mit dunklem Kern und leuchtender Hülle.

Der Mensch als leuchtendes Ei. Quelle: Link[2].

Schon im siebten Buch jedoch gewinnt die Vorstellung der leuchtenden und gelöcherten Kokons eine solche Komplexität, dass der Vergleich wiederum schwerfällt. Diese Kokons bestehen aus einer Vielzahl von Fasern (siehe unten) und umschliessen nicht einfach nur einen Kern, sondern ein Bündel von Bändern, genannt die „Emanationen des Adlers". Neben den bereits erwähnten Flecken, Löchern oder Dellen gibt es eine Spalte in diesem Kokon, die ihre Bedeutung im Zusammenhang mit dem Tod erhält: Gemäss DJ würde der Tod in Form einer „kreisenden Kraft" durch diese Spalte eindringen und den Kokon aufbrechen. Diese Kraft wird auch „Schwenker" genannt und als näherkommende Feuerkugel beschrieben – was wiederum für die Kugeln der Leuchtstruktur sprechen könnte.

Nach DJ weist dieser Kokon im oberen Bereich und üblicherweise auf der Aussenseite einen helleren Fleck oder Punkt auf, den soge-nannten „Montagepunkt", der erst ab dem siebten Buch Erwäh-nung findet. Durch diesen Punkt geht eine begrenzte Anzahl von Emanationen-Bändern hindurch. Der Montagepunkt sei für unsere Wahrnehmung der Welt verantwortlich. Aufgrund unserer Eingliederung in die Gesellschaft sei er zwar fixiert, könne durch entsprechende Praktiken jedoch manipuliert, d.h. im Kokon örtlich verschoben werden – entweder durch den Nagual-Schlag oder durch die eigene Absicht –, um die Wahrnehmung gänzlich anderer Welten zu ermöglichen.

Die detaillierten Qualitäten und Funktionen des Montagepunktes erschweren den Bezug zur Leuchtstruktur: Man könnte den Mon-tagepunkt zwar als helleren Kern auf oder in einem dunkleren Kokon beschreiben, also als eine der zwei Arten von Leucht-kugeln. Doch das Konzept eines beweglichen Kerns lässt sich

schwerlich mit den Leuchtkugeln der Mouches volantes in Ein-
klang bringen.

4) Die Linien der Welt

Im dritten Buch (*Reise nach Ixtlan*) ist erstmals von den Linien
die Welt die Rede. DJ erklärt, dass aus allen Stellen unseres Körpers Linien hervortreten, die uns mit der Welt verbinden. Diese
Linien könnten gefühlt werden, die dauerhaftesten kämen aus unserer Körpermitte. Nicht-tun ist dabei die Übung um die Welt
durch diese Linien zu fühlen. CCs Wahrnehmung der Linien im
selben Buch geschieht während er in die tief stehende Sonne
blickt. Dies könnte grundsätzlich auf die Fäden der Leuchtstruktur
hinweisen, die bei hellen Lichtverhältnissen am besten gesehen
werden. Allerdings heisst es auch, dass man mit diesen Linien auf
jemanden einwirken könne, und im folgenden Buch (*Der Ring der
Kraft*) wird die Fortbewegung mit Hilfe dieser Linien beschrieben.
Der Begriff der „Linie" ist wie derjenige der „Blase" variabel: In
den späteren Büchern spricht DJ von „Fäden" und „Fasern"
anstatt von „Linien".

5) Fäden, Fasern und Bänder

Die Wahrnehmung von Fäden und Fasern ist ein durchgängiges
Thema bei CC. Diese Fäden strahlen ein eigenes Licht aus und
werden oft als vibrierend oder zitternd beschrieben. In den meis-

ten Fällen treten die Fasern im Zusammenhang mit dem Sehen eines Menschen als leuchtendes Ei oder Kokon auf: Der Mensch bzw. das leuchtende Ei besteht aus diesen Fasern, und die Fasern erstrecken sich aus der Körpermitte, bzw. der Mitte des Eies. Allerdings können diese Fasern auch unabhängig von der Wahrnehmung leuchtender Kugeln oder Eier auftreten, etwa als CC im dritten Buch eine Bergkette als Netz aus Fasern sieht, oder wenn gesagt wird, dass der ganze Kosmos aus diesen Fasern bestehe und wir durch die Fasern mit allem verbunden seien.

Meistens wird „Faser" gleichbedeutend mit „Faden" gebraucht. Im sechsten und siebten Buch aber (*Die Kunst des Pirschens* und *Das Feuer von innen*) wird das Verhältnis geklärt und das Konzept ausgebaut: Ein Faden ist eine dünne Faser, während eine dicke Faser als „Tentakel" bezeichnet wird. Weiter heisst es, dass ein Mensch seine Fasern durch Interaktion in anderen Menschen zurücklassen kann, sei es zur Heilung des Menschen oder zu einer anders gearteten Manipulation. Im siebten Buch schliesslich ist vermehrt von (faserigen) „Bändern" die Rede, welche teilweise vom leuchtenden Kokon umschlossen werden. Ein Bündel solcher Bänder werden „Emanationen des Adlers" genannt, es gebe deren 48, wobei nur ein einziges solches Bündel uns organische Wesen ausmache.

Das Sehen dieser Fasern gibt Aufschluss über den betrachteten Menschen: je dicker, länger und leuchtender die Fasern, desto bewusster und energiereicher sei der Mensch. Diese Fasern haben zudem eine ganz praktische Funktion: Sie dienen der paranormalen Fortbewegung, eine Idee, die ab dem zweiten Buch durch Genaros Balanceakt dominierend wird. Durch diese Fasern kann sich ein Zauberer überall im Gelände festhalten und sich überall hinziehen. Er kann also mühelos die Schwerkraft überwinden und fliegen, wobei dies durchaus auch körperlich zu verstehen ist.

Der Bezug zu den Leuchtfäden der Mouches volantes ist hier schwierig, einerseits weil über die konkrete Erscheinung der Fäden nicht viel mehr gesagt wird, als dass sie leuchten und vibrieren, und anderseits aufgrund ihrer fantastischen Funktionen jenseits der blossen Beobachtung.

Begleitende Aspekte beim Sehen der Leuchtstruktur

Begleitumstände wie bestimmte Sehtechniken sowie die Konzepte des rechtsseitigen und linksseitigen Bewusstseins, des Zoom-Effekts und des Willens haben Entsprechungen in Nestors Lehre. Sie sind für das Sehen zentral und nähren die Vermutung, dass die subjektiven visuellen Erscheinungen bei CC auf die Leuchtstruktur Mouches volantes zurückgehen.

1) Techniken des Sehens

Konkrete Techniken des Sehens finden wir nur vereinzelt. Dass aber die menschlichen Augen an beiden Funktionen beteiligt sind, sowohl am gewöhnlichen „Schauen" wie auch am essenziellen

„Sehen", bestätigt DJ im zweiten Buch. Für Nestor dagegen spielen die Augen nur eine bedingte Rolle beim Sehen; Sehen ist für ihn eine Funktion des „inneren Sinnes", welchen er als eine Zusammenfassung aller physiologischen Sinne versteht.

Im fünften Buch (*Der zweite Ring der Kraft*), wo die Kunst des „Gaffens" beschrieben wird, wird CC angewiesen, durch die Wimpern seiner halbgeschlossenen Augen ein Netz von Lichtfasern zu sehen. Dieses Sehen durch die Wimpern ist für unseren Vergleich von Bedeutung. Denn vor dem Hintergrund der sonnenbeschienenen, Licht reflektierenden und streuenden Wimpern können wir nachprüfbar ein ganzes Meer von bewegenden Kugeln und Fäden sehen. Dazu gehören nicht nur die Leuchtstruktur des Bewusstseins, sondern auch die mehrringigen, grossen und stationär bis sprunghaften „Regenbogenkreise". Das Verhältnis dieser mehrringigen Kreise zur Leuchtstruktur ist unklar. Möglicherweise stellen sie eine durch optische Vorgänge entstandene Vergrösserung des Meeres aus Leuchtkugeln dar, das an der schärfsten Stelle des Sehens sichtbar wird (vgl. Tausin 2010c, 2012b). Das Sehen durch die sonnenbeschienenen Wimpern ist für Nestor allerdings nur ein Hilfsmittel, um die Leuchtstruktur für einen Moment klarer zu sehen. Es sagt nicht viel über unseren Fortschritt in der Bewusstseinsentwicklung aus, denn wir können nur bei offenen Augen feststellen, welche Punkte und Fäden wir bereits so stark beleuchten, dass wir sie auch ohne zusätzliches Licht sehen.

Das Gaffen wird bei CC auf alles Mögliche angewandt: Auf Blätter, Steine, bewegte und unbewegte Lebewesen, Wolken, Regen, Feuer etc. Unklar ist, ob hier jedes Mal ein Netz aus Lichtfasern gesehen werden sollte oder nicht. Die Rede ist stattdessen von Farbwahrnehmungen, die dabei entstünden, und die für die entsprechenden Gegenstände oder Lebewesen charakteristisch und aussagekräftig seien. Solche Farbwahrnehmungen lassen sich eher als komplementärfarbene Nachbilder interpretieren, die bei längerer Konzentration auf Objekte entstehen – für Nestor eine Vorstufe zum Sehen der Leuchtstruktur.

CC beschreibt in diesem Zusammenhang auch die zwei Arten des Sehens: Der nicht-fixierte Blick bei weit offenen Augen, wo das Bewusstsein förmlich mit Sinneseindrücken überflutet wird. Und der fixierte Blick, das konzentrierte Anschauen („Gaffen") eines Gegenstandes. CC lernt beides, während Nestor der Ansicht ist, dass wir uns v.a. in der Konzentration auf einen Gegenstand bzw. auf die Leuchtstruktur üben sollten, um die Punkte und Fäden festzuhalten.

Weiterhin wird das Sehen bei CC sowohl bei Tag wie bei Nacht praktiziert, während das Sehen der Leuchtstruktur eher eine Übung bei Tageslicht ist. Zwar kann die Leuchtstruktur in ihrem Energiefeldaspekt (Tausin 2012a) auch im Dunkeln gesehen werden, doch Nestor empfiehlt das Sehen bei Tageslicht gegen den Himmel oder eine helle Fläche. CC hingegen übt das Sehen zu allen Tageszeiten, also auch in der Dunkelheit. Und bei Tageslicht muss er häufig auf dunkle Stellen, auf Löcher, Einbuchtungen und

Schatten schauen (v.a. in Buch drei, vier und fünf). Teilweise geschieht dieses Schauen auf Schatten in Kombination mit einem Schielen, bei dem man die zwei Bilder auseinanderschiebt und dadurch zwei gleichgeformte Gegenstände übereinander lagert, um eine Tiefenwahrnehmung zu erwirken. Dieser Vorgang, den Nestor „Doppeln" nennt, ist in diesem Zusammenhang sehr bedeutend. Er kann zur vermehrten Wahrnehmung der Leuchtstruktur Mouches volantes führen, da man die Punkte und Fäden während des starken Doppelns konzentrierter, d.h. heller und leuchtender sieht. Zudem hilft diese Übung, die Punkte und Fäden besser festzuhalten.

2) Rechte und linke Seite des Bewusstseins – Tonal und Nagual

Die Einteilung des Bildes in eine rechte und linke Seite des Bewusstseins wird in der Lehre Nestors auf das Sehen zurückgeführt. Konkret können wir sehen, dass wir Punkte und Fäden in der linken wie in der rechten Sehhälfte haben. Damit verbunden ist der Weg in der Leuchtstruktur, den wir durch Bewusstseinsentwicklung zurücklegen. Er führt von einer Vielzahl von kleineren Kugeln und Fäden zu einigen wenigen grossen Kugeln in der linken Hälfte. Daher verbindet Nestor die linke Hälfte mit dem ursprünglichen Bewusstsein, das uns ermöglicht, die Grenzen der Unterscheidungen zu durchbrechen und die Welt in Einheit und Verbundenheit zu erkennen. Die rechte Bewusstseinshälfte hingegen ist die Seite der Vernunft, die spaltet, abgrenzt, einteilt – erkennbar an den vielen kleinen „Einheiten", den Kugeln und Fäden. Rechte und linke Seite haben wir auch in der Lehre von DJ, wo die Assoziationen dieselben sind: Die linke Seite der Bewusstheit ist das „Nagual", ein unvorstellbares Bewusstsein bar jeglicher Rationalität und Gedanken. Rechts dagegen herrscht das Tonal, unser Alltagsbewusstsein. Allerdings ist die Unterscheidung der linken und rechten Bewusstseinsseite hier nicht ein Gegenstand des Sehens, so wie beim Sehen der Leuchtstruktur. Sondern das Sehen wird bei CC bereits als ein Resultat der linksseitigen Bewusstheit aufgefasst.

3) Der Zoom-Effekt und die Schichten des Bewusstseins

Nestor spricht davon, dass in sehr intensiven Bewusstseinszuständen das Bild plötzlich näher rücken kann, d.h. dass das betrachtete Objekt auf einen Schlag näher kommt und grösser wird. Gleichzeitig passiere dasselbe mit den Leuchtkugeln und -fäden. Für Nestor zeigt dies, dass die materielle Realität und die Bewusstseinsstruktur untrennbar verbunden sind. Nestor spricht in diesem Zusammenhang von „Leinwand" und suggeriert damit, dass die äussere Erfahrungswelt eine Projektion unserer Bewusstseinsinhalte ist – womit eine Unterscheidung zwischen Aussen und Innen irrelevant wird.

Diesen „Zoom-Effekt" treffen wir auch bei CC an. Die Stellen sind allerdings selten, und CC macht dabei keinen Bezug zu visuellen geometrischen Figuren. Am klarsten formuliert wird dieser Effekt im fünften Buch (*Der zweite Ring der Kraft*): Hier rückt ein als dunkler Fleck wahrgenommenes Loch in einer Felswand plötzlich näher, als sich CC unter Anleitung von La Gorda im „Gaffen" übt. Dabei wird dieser Fleck heller, und CC hat den Eindruck, sich ihm zu nähern, ohne sich zu bewegen. Wir erfahren, dass dieses „Drauflos-Zoomen" (wörtl. im fünften Buch) die visuelle Entsprechung des „Anhaltens des inneren Dialogs" sei. Dies stimmt wiederum mit Nestors Vorstellung überein, dass diese visuelle Erfahrung nur in Zuständen grösster Entspannung eintritt, welche auch nicht durch Gedanken getrübt sind.

Die Schichten des Bewusstseins? Titelbild eines von Norbert Classens
Büchern über Carlos Castaneda und Don Juan. Quelle: Link[3].

Die Verbindung von Zoom-Effekt und den dabei zu durchdringenden Bewusstseinsschichten, wie Nestor sie nahelegt, treffen wir bei CC nicht explizit an. Es gibt allerdings die Vorstellung von Schichten, die man durchdringen könne: Beispielsweise erzählt Genaro im zweiten Buch von zehn Schichten, die unter lautem Knallen durchdrungen werden, um in eine andere Welt zu gelangen. Im fünften Buch wiederum werden die Fasern des leuchtenden Kokons als Schichten beschrieben, durch die das Nagual hinaus-, der Tod dagegen hineindrängen will um sie auseinander zu schieben.

4) Wille als Ekstase?

Wenn dieser Zoom-Effekt bei CC durch das Anhalten der Gedanken bzw. des „innerer Dialogs" zustande kommt, erwähnt Nestor zusätzlich ein körperliches Gefühl, das man dabei erlebt: nämlich ein entspannendes Gefühl des Prickelns am Körper, welches in intensiveren Bewusstseinszuständen zu einer lang andauernden Ganzkörperekstase wird. Dieses Gefühl sei Energie, die direkt ins Bild als ein Ganzes gegeben wird. Bei CC finden wir keinen Bezug auf den Begriff der „Ekstase", mit einer Ausnahme: Im ersten Buch ist das Hervorbringen von Ekstase eine der Eigenschaften des Verbündeten, der im Mexikanischen Kahlkopf (*psilocybe mexicana*), einem halluzinogenen Pilz, enthalten ist – im Gegensatz zu Verbündeten, die in anderen halluzinogenen Pflanzen enthalten sind. Was jedoch diese Ekstase genau ist, erfahren wir nicht.

Es gibt in den Lehren des Don Juan jedoch ein Konzept, welches Nestors Ekstase nahekommt: der „Wille". Im zweiten Buch erfahren wir, dass der Wille eine Energie sei, die sich von innen nach aussen bewegt, bzw. aus dem Körper des Sehers hervorschiesst oder ausbricht, nachdem die unsichtbare Spalte in der Nabelregion offen genug ist. Der Wille sei das Bindeglied zwischen Mensch und Welt, und er lasse uns die Welt erkennen, sei aber gleichwohl verschieden vom „Sehen". Der Wille sei auch unabhängig von Gedanken und Wünschen, und man könne direkt fühlen, wie er aus dem Leib kommt. Dies stimmt weitgehend mit Nestors Ekstase überein, mit Ausnahme der Tatsache, dass DJ das Fühlen des Willens auf eine Stelle in der Nabelgegend, bzw. bei Frauen auf den Uterus beschränkt.

Problematischer sind solche Aussagen, wo der Wille nicht eine unpersönlich und „blinde" Kraft ist – wie der Wille im siebten Buch, *Das Feuer von innen*, erklärt wird –, sondern angeblich zur gezielten Manipulation von Gegenständen und zur Fortbewegung in Träumen eingesetzt werden kann. Hier wird die Bedeutung des Willens zugunsten der „Absicht" zurückgestuft, verstanden als das zielorientierte Einsetzen des Willens. Das „Fortbewegen in Träumen" könnte noch als Zoom-Effekt während intensiveren Bewusstseinszuständen interpretiert werden, doch das gezielte und erfolgreiche Einwirken auf Menschen und Gegenstände mit bestimmten Absichten hingegen widerspricht Nestors Konzept einer unpersönlichen und unabsichtlichen Ekstase.

Generelle Unterschiede

Welches sind die generellen praktischen und ideologischen Unterschiede in der Lehre des Don Juan und des Nestor?

1) Die Beziehung der kugelförmigen Phänomene zur physischen Welt

Ein wichtiger Unterschied zwischen den Lehren von Nestor und DJ ist das Verhältnis zwischen der physischen Welt und der Kugelgebilde in intensiveren Bewusstseinszuständen: Bei CC werden solche „Kokons" stark mit Gegenständen oder Personen identifiziert. Diese Identifikation ist keine intellektuelle Übung sondern wird visuell erfahren. Beispiele sind solche Stellen, wo CC Menschen in einer Blase sieht, bzw. in leuchtenden Hüllen, die die menschlichen Körper umgeben – obwohl sich andernorts das Sehen der physischen Körper und der Eier gegenseitig ausschliessen. Bezeichnend ist in diesem Zusammenhang auch das Kapitel „Zusammen sehen" im sechsten Buch, wo diesen Eiern eine so objektive Realität eingeräumt wird, dass CC und La Gorda sie gemeinsam sehen und sich darüber unterhalten können. Diese unmittelbare Identifikation erlaube es, aufgrund der Eigenschaften des Kokons und der Fasern Rückschlüsse auf die Bewusstheit des gesehenen Menschen, seine Gefühlsverfassung, sogar seine Absichten zu ziehen.

Gemäss Nestor entspringt diese Vorstellung zu sehr der Fantasie und hat mit dem Wunsch des Menschen zu tun, seine Mitmenschen eindeutig und auf einen Blick direkt durchschauen und beurteilen zu können. Die für die meisten Menschen wahrnehmbaren Leuchtstruktur Mouches volantes hingegen gleiten über die materiellen Gegenstände hinweg. Nur in den fortgeschrittenen und sehr intensiven Bewusstseinszuständen vereinigen sie sich als Leuchtstruktur mit dem betrachteten Gegenstand. Dies bedeutet, dass die Leuchtstruktur den Gegenstand strukturiert, nämlich aufteilt in Licht und Materie, wobei die physische Realität sich nunmehr an den Rändern der mit Licht durchfluteten Struktur abspielt. In diesem Moment erhält ein Seher zwar ein direktes Wissen über das menschliche Bewusstsein und das Bild als Ganzes, doch dieses Wissen darf nicht mit spezifischen Gedanken oder Gefühlen verwechselt werden, welche sich exklusiv auf den konkret angeschauten Gegenstand beziehen – denn komplexe Gedanken und Emotionen zu haben sind energieverschlingende Prozesse und gehen auf Kosten des Sehens. Die gedankliche und gefühlsmässige Ausformulierung des Gesehenen ist etwas, das erst in einem zweiten Schritt, nach dem Sehen, erfolgt. So ist Nestor beispielsweise mit CC durchaus der Ansicht, dass es sich bei den Leuchtkugeln um die kleinste Einheit dessen handelt, was uns im Kern ausmacht: Bewusstsein. Doch diese Verknüpfung kann nicht direkt gesehen werden, sondern ist Teil von Nestors Sehtheorie.

2) Die Manipulation der physischen Welt

Es bleibt aber nicht bei der blossen Beurteilung der physischen Welt aufgrund des Sehens. Das Sehen ermöglicht bei CC sogar deren Manipulation. Insgesamt legt CC viel Gewicht auf den physischen Kontakt mit energetischen Kugel- oder Linienerscheinungen. Von da ist der Gedankensprung, dass man auf diese Energielinien und -kugeln sowie auf die von ihnen zusammengesetzte Welt einwirken kann, klein. Programmatisch ist die Vorstellung, dass Energiekugeln oder -linien bewusst „ergriffen" und als Fortbewegungsmittel gebraucht werden können, um Distanzen körperlich zu überwinden.

Hier klaffen die Lehren von DJ und Nestor auseinander. Nestor zufolge ist eine solche Vorstellung widersprüchlich, da seinen Erfahrungen gemäss die Energie entweder für das Handeln oder aber für das Sehen gebraucht wird. D.h. das intensive Sehen der Bewusstseinsstruktur ist eine selbstgenügsame reine Beobachtung, und jede körperliche, emotionale oder gedankliche Handlung würde, wie oben festgestellt, Energie von der Leuchtstruktur abziehen und diese Wahrnehmung daher empfindlich beeinträchtigen. Meiner Ansicht nach arbeitet CC hier mit Idealen und Bildern von „Übermenschen", die sich Menschen bereits seit frühester Zeit machen – seien es die Abenteuer von Göttern oder Halbgöttern in Mythen, die Wundertaten von Heiligen oder der Einsatz von Superkräften durch Superhelden in Comic-Geschichten. Zentral in solchen Geschichten ist die Objektivierbarkeit dieser Wunderkräfte – man kann sie sehen, erleben, empfinden, also ist sie real.

Jonglieren mit subjektiven visuellen Kügelchen? Titelbild des Übungs-buches Tensegrity von 1998. Quelle: Link[4].

Solche Kräfte sind laut Nestor zwar keine reine Erfindung, da Energie zunächst im Körper angesammelt werden muss und ein energiereicher menschlicher Körper tatsächlich zu erstaunlichen Leistungen fähig ist. Nach Nestor sind solche körperlichen (auch emotionalen und gedanklichen) Leistungen jedoch zwiespältig: Sie sind zugleich Ausdruck einer bewundernswerten Konsequenz und eines starken Willens, die für die Bewusstseinsentwicklung unabdingbar sind. Sie zeugen aber auch davon, dass der Übende seine Energie zu einem grossen Teil durch absichtsvolle, persönlichkeitsbezogene und damit egoistische Handlungen abgibt – was erst überwunden werden kann, wenn wir nicht nur genügend Energie, sondern auch die Offenheit und Entspannung haben, um überschüssige Energie durch Ekstase direkt in das Bild als ein Ganzes zu geben. Spektakuläre körperliche Höchstleistungen sind daher eine Vorstufe kurz bevor sich der Körper endgültig öffnet und die immense aufgesparte Energie in das Bild entweichen lässt – was den seherischen Effekt eines näherkommenden Bildes und der damit verbundenen Bewusstseinsstruktur zur Folge hat.

3) Der Begriff des „Sehens"

CCs Konzept des „Sehens" ist untrennbar mit der physischen Realität im Sinne ihrer absichtsvollen Manipulation und Beurteilung verknüpft: Handlungen wie der Nagual-Schlag oder das Ergreifen von Energielinien zwecks körperlicher Fortbewegung setzen das Sehen voraus. Und das Sehen bezieht sich bei CC auch auf die Alltagsrealität, so dass die Inhalte erweiterter Wahrnehmung materiellen Objekten zugeordnet werden können und es möglich ist, „zusammen zu sehen".

Nach Nestors Auffassung hingegen kann das Sehen, wie oben festgestellt, nicht gleichzeitig mit manipulativen Aktivitäten einhergehen, auch nicht mit der Beurteilung von physischen Gegenständen oder Menschen. Ein solches Sehen wäre nicht unmittelbar genug, da es mit Gedanken und Absichten verbunden ist – gebundene Energie, die in diesem Moment nicht für das Sehen selbst zur Verfügung steht. Eine ähnliche Vorstellung treffen wir bei CC nur an einer Stelle an, nämlich im zweiten Buch, wo DJ das Sehen scharf von der manipulativen Zauberei abgrenzt: Das Sehen lasse uns die Unwichtigkeit aller Dinge erkennen und hätte keine Auswirkungen auf die Mitmenschen. Sehen sei die Wahrnehmung der Dinge, wie sie wirklich sind. Traumwahrnehmungen dagegen – wie z.B. der „grüne Nebel" – werden lediglich als Beinahe-Sehen bewertet. Diese Passage ist jedoch ein Einzelfall. Alles in allem deckt das Sehen bei CC ein viel breiteres Spektrum ab. Sehen meint:

1) ein Zukunfts- oder Hellsehen bzw. ein Durchschauen, d.h. ein intuitives Erfassen von verborgenen Gefühlen, Charaktereigenschaften und Motiven, das visuell sein kann, aber nicht muss;

2) das Erfahren von traumartigen Sequenzen sowie von unheimlichen Wesen wie der Verbündete oder der „Wächter";

3) die Wahrnehmung unvertrauter und abstrakter energetischer Strukturen, z.T. in Verbindung mit Punkt 1 und 2;

4) Sehen steht zudem in unmittelbarem Zusammenhang mit Leistungen der Zauberei wie der paranormalen Fortbewegung und dem Nagual-Schlag, und oft auch mit dem Sehen von Farbnuancen, welche konkrete Informationen über den betrachteten Gegenstand liefern sollen.

Nestors Begriff des Sehens dagegen beschränkt sich zunächst auf die Wahrnehmung von abstrakten energetischen Strukturen – der Leuchtstruktur Mouches volantes –, geht aber in sehr intensiven Bewusstseinszuständen einher mit der entspannenden Ekstase sowie dem „direkten Wissen", einer Intuition über den Ursprung und die grossen Zusammenhänge unseres Daseins.

Fazit

Wie wahrscheinlich ist es, dass Castanedas Werk auf der Wahrnehmung der Leuchtstruktur Mouches volantes basiert? Warum hat er diese Punkte und Fäden nicht realistischer, sondern im Gegenteil mit jedem weiteren Buch mythischer und komplizierter dargestellt, was ihre Wahrnehmung und ihre Erklärung anbelangt? Dies sind die Fragen des letzten Teils.

Einen expliziten Hinweis, dass es sich bei den aussergewöhnlichen Wahrnehmungen geometrischer Strukturen um die Leucht-

122

struktur handeln könnte, finden wir in den Büchern von CC nirgends. Was wir finden, ist eine teilweise Übereinstimmung der Beschreibungen solcher Wahrnehmungen mit den Leuchtstruktur Mouches volantes. So können die bei CC beschriebenen Blasen, Feuerkugeln und -bälle, leuchtenden Eier und Kokons durchaus als Leuchtkugeln verstanden werden. Die Energielinien, Fäden, Fasern, Tentakel wiederum deuten auf die Leuchtfäden hin. Weiterhin finden wir bei den Seh-Techniken und Vorgängen während des Sehens (Zoom-Effekt, Wille als Ekstase) Entsprechungen zwischen den Lehren des DJ und des Nestor. Gleichzeitig gibt es jedoch Aussagen, die eine Vereinbarkeit verunmöglichen, v.a. dort, wo es um eine Gleichzeitigkeit von Sehen und manipulativem Handeln geht. Erschwerend ist weiterhin, dass die Bedeutungen und Beschreibungen der genannten Phänomene in CCs Werk selbst nicht einheitlich sind, sondern sich durch die Bücher hindurch verändern. Diese Veränderung geht in Richtung Komplexität: Die runden und fädenartigen visuellen Phänomene werden zunehmend detaillierter beschrieben, sowohl was ihre Erscheinung als auch ihre Funktion betrifft.

Trotzdem ist es meiner Ansicht nach nicht nur möglich, sondern sogar wahrscheinlich, dass das Sehen der Leuchtstruktur inspirierend auf CCs Werk gewirkt hat. Einerseits ist das Phänomen der Mouches volantes bzw. *floaters* bei den Leuten um Castaneda bekannt, wie das Interview mit den Chacmool-Frauen zeigt. Anderseits ist es aufgrund von Nestors und meiner Erfahrung nur schwer vorstellbar, dass sich ein Mensch über Jahre hinweg immer wieder in intensivere Bewusstseinszustände begibt um sich in höchster visueller Aufmerksamkeit zu üben, ohne jemals die Leuchtstruktur und ihre Entwicklung zu beobachten. Die Verbindung von Bewusstseinsfortschritt und den Leuchtkugeln und Leuchtfäden wird vielleicht nicht von Anfang an erkannt. Doch je länger die Phase der Beobachtungen und Vergleiche der eigenen Zustände mit der visuellen Wahrnehmung dauert, desto sicherer wird es, dass der oder die Suchende die tiefergehende Bedeutung der Leuchtstruktur Mouches volantes realisiert.

Ob allerdings CC selbst dieser Mensch war, der sich so intensiv um die Bewusstseinsentwicklung bemühte und diese Leuchtstruktur gesehen hat, ist wieder eine andere Frage – und damit sind wir bei der Gretchenfrage: Wenn CCs Werk tatsächlich durch die Leuchtstruktur Mouches volantes inspiriert ist, warum wird das in keinem Buch klipp und klar gesagt? Denkbar sind folgende Szenarien:

1) CC wusste nichts von der Leuchtstruktur und konnte sie selbst nicht sehen. In diesem Fall wäre es Don Juan – oder wer immer sein Informant und Lehrer war – gewesen, der von seinen aussergewöhnlichen Wahrnehmungen von leuchtenden Kugeln und Fäden berichtete und diese vielleicht selbst ausschmückte. Wenn dieser Mensch tatsächlich ein mexikanischer Indianer ohne Zugang zu westlich akademischem Wissen war, so ist anzunehmen, dass er die augenheilkundliche Erklärung der Mouches volantes nicht kannte. Möglich ist auch, dass CC in der Universitätsbibliothek von Los Angeles auf Weltbeschreibungen und kosmische Darstellungen alter mesoamerikanischer Kulturen

stiess, in welchen kugel- und fädenartige Gebilde und Verzierungen oftmals eine prominente Rolle spielen – was ebenfalls auf die Wahrnehmung von entoptischen Phänomenen wie den Leuchtstruktur Mouches volantes zurückgehen könnte, sofern die Kunst durch schamanische Visionen inspiriert ist (Tausin 2010b). In jedem Fall wäre die moderne medizinische Erklärung nie ins Gespräch eingeflossen.

2) CC hat die Mouches volantes selbst gesehen und vielleicht infolge seiner bewusstseinsfördernden Praktiken auch ihre tiefere Bedeutung erkannt. In seinen Büchern hat er sie aber sehr stark mythisch verklärt, denn sein Zielpublikum suchte die fantastischen Aspekte der Realität, nicht die rationalen Erklärungen. Vielleicht kannte CC sogar von Anfang an die medizinische Bedeutung des entoptischen Phänomens. Dies konnte er aber aus verständlichen Gründen nicht preisgeben, denn eine Aufklärung hätte seinem ganzen Werk nicht nur einen stark rationalen Anstrich verpasst, sondern hätte es regelrecht pathologisiert.

Wie auch immer: Klar ist, dass CC nicht nur hohe Anforderungen an unsere Toleranz und Vorstellungskraft stellt, sondern uns durch theoretische Erweiterungen und begriffliche Veränderungen auch einen grossen Interpretationsspielraum seines Werkes eröffnet – einen Interpretationsspielraum, in den auch die Leuchtstruktur Mouches volantes mit grosser Wahrscheinlichkeit passen. Symptomatisch hierfür ist die Stelle im siebten Buch *Das Feuer von innen*, wo DJ CCs Wahrnehmung von Feuerkugeln detaillierter auslegt, es seien in Wahrheit keine Feuerkugeln, sondern irisierende Ringe. Als CC Genaueres über diese irisierenden Ringe in Erfahrung bringen will, protestiert DJ: „Nimm mich nicht so wörtlich."

Literatur

Castaneda, Carlos (1973): *Die Lehren des Don Juan. Ein Yaqui-Weg des Wissens* (32. Aufl., 2000). Frankfurt a.m.: Fischer Taschenbuch Verlag GmbH

Castaneda, Carlos (1975): *Eine andere Wirklichkeit. Neue Gespräche mit Don Juan* (25. Aufl., 2001). Frankfurt a.m.: Fischer Taschenbuch Verlag GmbH

Castaneda, Carlos (1976): *Reise nach Ixtlan. Die Lehre des Don Juan* (26. Aufl., 2001). Frankfurt a.m.: Fischer Taschenbuch Verlag GmbH

Castaneda, Carlos (1978): *Der Ring der Kraft. Don Juan in den Städten* (21. Aufl., 2001). Frankfurt a.m.: Fischer Taschenbuch Verlag GmbH

Castaneda, Carlos (1980): *Der zweite Ring der Kraft* (17. Aufl., 2000). Frankfurt a.m.: Fischer Taschenbuch Verlag GmbH

Castaneda, Carlos (1981): *Die Kunst des Pirschens* (17. Aufl., 1998). Frankfurt a.m.: Fischer Taschenbuch Verlag GmbH

Castaneda, Carlos (1987): *Das Feuer von innen* (12. Aufl., 2001). Frankfurt a.m.: Fischer Taschenbuch Verlag GmbH

Castaneda, Carlos (2000): *Das Wirken der Unendlichkeit* (2. Aufl., 2000). Frankfurt a.m.: Fischer Taschenbuch Verlag GmbH

Murray, Stephen O. (1979): „The Scientific Reception of Castaneda". *Contemporary Sociology* 8, Nr. 2: 189-192

Tausin, Floco (2012a): *Mouches volantes (MV) und andere subjektive visuelle Phänomene.* mouches-volantes.com/home/visuelle-subjektive-phaenomene.htm (23.9.22)

Tausin, Floco (2012b): „Concentric rainbow circles and eye floaters". *Holistic Vision* 2/12. eye-floaters.info/news/news(2-12).htm#2 (23.9.22)

Tausin, Floco (2010a): *Mouches Volantes. Die Leuchtstruktur des Bewusstseins.* Bern: Leuchtstruktur Verlag

Tausin, Floco (2010b): „Lichter in der Anderswelt. Mouches volantes in der darstellenden Kunst moderner Schamanen". *Ganzheitlich Sehen* 2/10. mouches-volantes.com/news/newsjuni2010.htm#1 (23.9.22)

Tausin, Floco (2010c): „Aus der Wissenschaft: Mouches volantes und Makulachagrin". *Ganzheitlich Sehen* 4/2010. mouches-volantes.com/news/newsdezember2010.htm#2 (23.9.22)

Tausin, Floco (2008): „Mouches volantes – Glaskörpertrübung oder Nervensystem? Fliegende Mücken als wahrnehmbarer Aspekt des visuellen Nervensystems. Teil 1: Die Grenzen der ophthalmologischen Erklärung der Mouches volantes". *Ganzheitlich Sehen* (4/08). mouches-volantes.com/news/newsdezember2008.htm#1 (23.9.22)

Links

Link[1]: activeblue.norkov.com/tensegridad.html (2007)

Link[2]: activeblue.norkov.com/tensegridad.html (2007)

Link[3]: lovelybooks.de/autor/Norbert-Claßen/Carlos-Castaneda-und-das-Vermächtnis-des-Don-Juan-143807210-w (23.9.22)

Link[4]: youtube.com/watch?v=n0uDq1C8wkQ (23.9.22)

7

Die Leuchtkugel am Ende des Tunnels

Erstmals erschienen:
Tausin, Floco (2011): „Die Leuchtkugel am Ende des Tunnels. Mouches volantes und Nahtoderfahrung". Quelle: Link[1].

Menschen, die klinisch tot waren und wiederbelebt werden konnten, berichten oft von aussergewöhnlichen und tiefgreifenden Erfahrungen im Zustand der Todesnähe – Erfahrungen, die wissenschaftliches und religiöses Denken gleichermassen herausfordern. Einige visuelle Elemente von Nahtoderfahrungen weisen Ähnlichkeiten mit denen beim Sehen der Leuchtstruktur Mouches volantes auf. Die These dieses Artikels ist es, dass wir in der Leuchtstruktur ein Bewusstseinsphänomen haben, das sich in Nahtodzuständen – und möglicherweise über den Tod hinaus – in intensiverer Form fortsetzt.

Was ist eine Nahtoderfahrung?

Erzählungen von Menschen in Todesnähe sind uns aus vielen Kulturen und Zeiten übermittelt. Für die Menschen im Westen bezeugte das Phänomen jahrhundertelang die Existenz von Himmel und Hölle. Im 19. Jh. begannen erste Wissenschaftler, sich mit den Nahtoderfahrungen zu beschäftigen. Doch erst in der zweiten Hälfte des 20. Jh. stiess das Phänomen auf ein breiteres wissenschaftliches und öffentliches Interesse. Nach Vorarbeiten von Forscherinnen und Forschern wie Elisabeth Kübler-Ross, Russel Noyes, und Robert Crookall (vgl. Corazza 2008) veröffentlichte der Philosoph und Psychiater Raymond Moody sein populäres Buch *Life after life* (dt. „Leben nach dem Tod", 1975). Dieses wurde zum Bestseller und brachte die in den modernen Industriegesellschaften stark tabuisierten Themen Tod und Sterben ins öffentliche Gespräch. Menschen aus allen sozialen Schichten sahen sich darin bestärkt, ihre Begegnungen mit dem Tod mitzuteilen – eine Entwicklung, die in den letzten 30 Jahren zu einer steten Zunahme von Nahtodberichten führte. Gemäss Erhebungen aus den 1990er Jahren verfügen mehr als 13 Mio. US-Amerikaner und 3,3 Mio. Deutsche über Nahtoderfahrungen (Knoblauch 1999).

Oft handelt es sich dabei um Unfall- oder Herzstillstandpatienten, deren Herzschlag und Atmung aussetzten, und die reanimiert werden konnten. Einige dieser Patienten – die Zahlen variieren in unterschiedlichen Studien zwischen 18% und 60% aller Befragten (vgl. Schick/Vaughn 2010) – erlebten im Zustand ihres „klinischen Todes" sensorische und kognitive Eindrücke, die Moody als „Nahtoderfahrung" (*near-death experience, NDE*; im folgenden „NTE") bezeichnete. Der Begriff wird in der Literatur zuweilen gegenüber den „Totenbettvisionen" (*deathbed visions*) abgegrenzt, welche von kranken und altersschwachen Menschen in einem längeren Prozess des Hin- und Herwechselns zwischen Wach- und Dämmerzustand erfahren werden. Moody stellte Ähnlichkeiten in den Berichten von NTE fest und hat eine idealtypische Beschreibung mit mehreren Elementen herausgearbeitet:

„Ein Mensch liegt im Sterben. Während seine körperliche Bedrängnis sich ihrem Höhepunkt nähert, hört er, wie der Arzt ihn für tot erklärt. Mit einem Mal nimmt er ein unangenehmes Geräusch wahr, ein durchdringendes Läuten oder Brummen, und zugleich hat er das Gefühl, dass er sich sehr rasch durch einen langen, dunklen Tunnel bewegt. Danach befindet er sich plötzlich ausserhalb seines Körpers, jedoch in derselben Umgebung wie zuvor. Als ob er ein Beobachter wäre, blickt er nun aus einiger Entfernung auf seinen eigenen Körper. In seinen Gefühlen zutiefst aufgewühlt, wohnt er von diesem seltsamen Beobachtungsposten aus den Wiederbelebungsversuchen bei. Nach einiger Zeit fängt er sich und beginnt, sich immer mehr an seinen merkwürdigen Zustand zu gewöhnen. Wie er entdeckt, besitzt er noch immer einen ‚Körper‘, der sich jedoch sowohl seiner Beschaffenheit als auch seinen Fähigkeiten nach wesentlich von dem physischen Körper, den er zurückgelassen hat, unterscheidet. Bald kommt es zu neuen Ereignissen. Andere Wesen nähern sich dem Sterbenden, um ihn zu begrüssen und ihm zu helfen. Er erblickt die Geistwesen bereits verstorbener Verwandter und Freunde, und ein Liebe und Wärme ausstrahlendes Wesen, wie er es noch nie gesehen hat, ein Lichtwesen, erscheint vor ihm. Dieses Wesen richtet – ohne Worte zu gebrauchen –

eine Frage an ihn, die ihn dazu bewegen soll, sein Leben als Ganzes zu bewerten. Es hilft ihm dabei, indem es das Panorama der wichtigsten Stationen seines Lebens in einer blitzschnellen Rückschau an ihm vorüberziehen lässt. Einmal scheint es dem Sterbenden, als ob er sich einer Art Schranke oder Grenze nähere, die offenbar die Scheidelinie zwischen dem irdischen und dem folgenden Leben darstellt. Doch wird ihm klar, dass er zur Erde zurückkehren muss, da der Zeitpunkt seines Todes noch nicht gekommen ist. Er sträubt sich dagegen, denn seine Erfahrungen mit dem jenseitigen Leben haben ihn so sehr gefangengenommen, dass er nun nicht mehr umkehren möchte. Er ist von überwältigenden Gefühlen der Freude, der Liebe und des Friedens erfüllt. Trotz seines inneren Widerstandes – und ohne zu wissen, wie – vereinigt er sich dennoch wieder mit seinem physischen Körper und lebt weiter" (Moody 1975).

Andere Forscher erweiterten oder kürzten Moodys Katalog (vgl. Knoblauch 1999), was zeigt, dass NTE sowohl Ähnlichkeiten wie auch Unterschiede bezüglich Inhalt und Reihenfolge aufweisen.

Die Betreffenden erleben NTE als sehr real und tiefgreifend. Nicht selten verändern sie im Anschluss an eine NTE ihre Ansichten, Glaubensvorstellungen und Werte in Bezug auf Umwelt, Mitmenschen, Tod und Jenseits. Sie bemühen sich um eine bewusstere und liebevollere Lebensweise als vorher. In einzelnen Fällen inspirierten NTE die Gründung religiöser oder spiritueller Bewegungen. Bei einigen Menschen lösen NTE auch erweiterte intellektuelle oder psychische Fähigkeiten oder auch spontane Heilung von Krankheiten aus. Oft übertragen sich die positiven Effekte auch auf Nahestehende. Weniger häufig wird von negativen Nacheffekten berichtet, z.B. die Enttäuschung, nach einer positiven NTE wieder mit alltäglichen Schwierigkeiten konfrontiert zu sein. Oder der Frust, die Erfahrung nicht verständlich kommunizieren zu können. Auch die erhöhte Angst vor dem Sterben wird von einigen berichtet (Corazza 2008; Greyson 2006; Horacek 1997).

Der Begriff „Nahtod" ist insofern unklar, als mehrere Elemente nicht nur in NTE, sondern auch bei Menschen in anderen veränderten Bewusstseinszuständen vorkommen. Auslöser können z.B. extreme Müdigkeit sein, schamanische oder meditative Praktiken, schnelle Beschleunigung in Simulatoren für Kampfpiloten (G-LOC-Syndrom), längere soziale Isolation und Sinnesentzug, Träume sowie bewusstseinsverändernde Substanzen (Studien gibt es v.a. mit Ketamin und Dimethyltryptamin, DMT). Die Gleichheit oder Unterschiedlichkeit dieser Phänomene und der NTE-Elemente wird von den Autoren je nach Ausrichtung stärker oder weniger stark betont, angenommen oder abgelehnt: Wo einige von Nahtodzuständen auch in Situationen ausserhalb der Todesnähe sprechen, interpretieren andere NTE als mystische oder biologisch determinierte Erfahrungen, die sich von anderen nicht unterscheiden (Corazza 2008; Strassman 2006; Grof/Halifax 1977; Moody 1975).

Erklärungsansätze

Forscherinnen und Forscher versuchen, das Phänomen zu erklären und seine Bedeutung für Mensch, Gesellschaft und das Wissen über die letzten Dinge zu ergründen. Heute kursieren mehrere Hypothesen, keine konnte bisher abschliessend bewiesen oder verworfen werden:

1) Die biologische bzw. neurologische Theorie

Nach dieser im Materialismus gründenden Theorie gibt es keinen Geist oder Seele, die ausserhalb des Körpers Erfahrungen machen könnte. Die Elemente von NTE werden allesamt durch physiologische Prozesse im Augenblick des körperlichen Ablebens erklärt: Sauerstoffmangel und der Kollaps von Hemmungsmechanismen im Hirn stimulieren die neuronale Aktivität des visuellen Systems, was zur Wahrnehmung von Tunnel- und Lichterscheinungen führt. Die Stimulierung des limbischen Systems und die Ausschüttung von Neurotransmittern wie Endorphinen im Hirn seien für die Erfahrung von Schmerzlosigkeit, Frieden, Liebe und Euphorie zuständig. Ausserkörperliche Erfahrungen (fortan AKE), Lebensrückschau und Wahrnehmungen jenseitiger Landschaften werden als neurologische Freisetzungen von Erinnerungen und Halluzinationen bzw. Depersonalisationsprozesse durch die Stimulation des Schläfenlappens (*lobus temporalis*) verstanden. Skeptiker betonen zudem, dass NTE nichts über den Tod und mögliche Existenzformen danach aussagen, denn der zeitweilige „klinische Tod" ist nicht mit dem endgültigen Tod, dem irreversiblen Gewebetod, gleichzusetzen – die Betreffenden sind ja letztlich nicht gestorben. Die biologische Theorie geht indes gut mit der skeptischen psychologischen einher, dass NTE dem Wunsch des Menschen nach Unsterblichkeit entsprechen (vgl. n/a 2009; Blackmore 1993, 2005; Blackmore/Troscianko 1988).

2) Die kulturhistorische Erklärung

Bei der Auseinandersetzung mit NTE schwingt oft eine universalistische Annahme mit, nämlich dass alle NTE gleiche oder ähnliche Elemente in gleicher oder ähnlicher Reihenfolge beinhalten. Während Biologen damit auf die universelle Funktionsweise des Hirns aufmerksam machen (Blackmore 1993, 2005), versuchen religiöse oder spirituell Motivierte ihre Version des Jenseits als objektive Grösse über alle kulturellen Grenzen hinweg zu behaupten. Nach den Universalisten sollten sich also alle bekannten Berichte und Literatur über NTE auf einige essentielle Grundzüge herunterbrechen lassen – von der ausserkörperlichen Erfahrung des Soldaten Er in Platos *Politeia*, über die Beschreibungen im Tibetischen Totenbuch, die Jenseitserfahrung des Stockholmer Naturwissenschaftlers Emanuel Swedenborg im 17. Jh. (vgl. Woofenden 2009), die indianischen und melanesischen Jenseitsreisen, bis hin zur Masse an westlichen Nahtodberichten im 21. Jahrhundert.

Kulturwissenschaftler wundern sich indes nicht, dass es unter Nahtod-Forschern bisher keine Einigkeit darüber gibt, welche Elemente als universell anzusehen sind. Denn die Inhalte der Berichte variieren teils deutlich, je nach Zeit und Ort. Bestimmte, für moderne westliche NTE typische Elemente wie AKE, Tunnelerfahrung und Lebensrückschau kommen in früheren NTE oder in zeitgenössischen NTE anderer Kulturen nicht oder nur am Rande vor (Knoblauch 1999; Kellehear 1996). Andererseits stellen Kulturwissenschaftler durchaus auch Gemeinsamkeiten fest, beispielsweise in den Jenseitsvorstellungen antiker Kulturen, die viele der modernen NTE Elemente aufweisen – und von NTE inspiriert sein könnten (Shushan 2009). Früher wie heute scheint das Treffen verstorbener Verwandter oder übernatürlicher Wesen in anderen Daseinsbereichen sehr verbreitet zu sein. Diese jenseitigen Welten weisen allerdings grosse Ähnlichkeiten mit der Architektur, Mode und Sozialstruktur der bekannten Umgebung der Betreffenden auf. Oft treten auch religiöse Wesen in Erscheinung, die in der betreffenden Kultur zu finden sind. Dies spricht dafür, dass NTE und Jenseitsvorstellungen seit jeher von kulturellen Faktoren durchdrungen sind. Für die westliche Moderne bedeutet dies, dass sich NTE-Berichte, Sterbeforschung und die postmoderne individualisierte Religiosität in einem Geflecht gegenseitiger Beeinflussung befinden (Shushan 2009; Corazza 2008; Athappilly et al. 2006; Knoblauch 1999; Kellehear 1996).

3) Die Überlebenstheorie

Biologisch-reduktionistische wie auch kulturhistorische Ansätze beantworten die Frage der Weiterexistenz des Bewusstseins nach dem körperlichen Ableben negativ oder gar nicht. Für die meisten Menschen mit NTE hingegen gibt es in dieser Hinsicht keinen Zweifel: Sie haben unmittelbar erlebt, dass der Tod nicht das Ende ihrer Existenz ist. Auch viele Forscher wie Elisabeth Kübler-Ross, Raymond Moody, Kenneth Ring und andere sehen in Nahtod-Elementen wie den erweiterten mentalen Prozessen, AKE und paranormalen Wahrnehmungen einen starken Hinweis – wenn nicht Beweis – für die Existenz des menschlichen Bewusstseins, Geist oder Seele ausserhalb des Körpers (vgl. Williams Cook et al. 1998). Diese Überlebensthese ist nicht an eine spezifische religiöse oder spirituelle Tradition gebunden. Die Elemente der NTE werden oft – entgegen den Erwartungen der Betreffenden – als losgelöst vom eigenen religiösen Milieu empfunden (Moody 1975, vgl. Corazza 2008). Andererseits interpretieren die Betreffenden ihre Erfahrung häufig mit dem Vokabular der eigenen Religion. Für gläubige Christen beispielsweise beweisen NTE die Existenz von Himmel und Hölle. Oder sie sehen in den positiv erlebten Lichterfahrungen Gott, Jesus oder – wie einige Kritiker es tun – das Werk des „Lichtbringers" (Lucifer). (Rawlings 1987; vgl. Knoblauch 1999).

Szene aus „Inferno" von Dantes Göttlicher Komödie, illustriert nach Gustave Doré – eine NTE inspirierende Szene, die indirekt oder direkt selbst durch NTE inspiriert ist? Quelle: Link[2].

Die zwischen 2008 und 2012 durchgeführte AWARE-Studie
(*AWAreness during REsuscitation*) wollte einen Beweis für
ausserkörperliche Erlebnisse erbringen. In britischen, amerikanischen und österreichischen Kliniken wurden Patienten, die einen
Herzstillstand überlebt haben, befragt. Ausserdem wurden auf
Schränken und Apparaturen zur Decke gerichtete Symbole ange-
bracht, die nur von oben gesehen werden können. Patienten
müssten diese Symbole während AKE erkennen können. 2014
wurden die Resultate veröffentlicht: Von 2060 Patienten mit
Herzstillstand hatten 9% eine typische Nahtoderfahrung, 2% konnten die Ereignisse während ihrer Reanimation beschreiben. Die
Forscher vermochten für einen dieser Fälle das bewusste
Wahrnehmen der Reanimationsbemühungen nachweisen – und
zwar zu einem Zeitpunkt, als nach klassischer Sichtweise keine
Hirnfunktionen möglich waren. AWARE legt nahe, dass Menschen auch ohne klinisch nachweisbare Hirntätigkeit bewusst sein
können. Doch die Aussagekraft der Studie gilt aufgrund der wenigen klaren Fälle als gering. Zudem konnte die Wahrnehmung der
installierten Symbole in keinem Fall validiert werden (Parnia u.a.
2014; n/a 2010b).

4) Die mystisch-spirituelle Theorie

Auch ohne die Annahme eines Leib-Seele-Dualismus und der
Überlebensthese, können NTE als spirituell relevante Erfahrungen
gedeutet werden. Elemente wie die Erfahrung von Frieden, Liebe
und Geborgensein, die Unbeschreiblichkeit der Erfahrung, die

Präsenz einer grösseren Entität, die Transzendenz von Zeit und Raum, die Erfahrung eines hellen Lichts oder Lichtwesens – solche Aspekte ähneln den Beschreibungen von visionären Mystikern vieler Kulturen – mit dem offensichtlichen Unterschied, dass Betreffende von NTE diese mystischen Erfahrungen üblicherweise nicht gesucht haben (Grof/Halifax 1977; Zaleski 1993; Cressy 1994; Greyson 2006).

Die ekstatisch-entoptische Sicht

Die ekstatisch-entoptische Sicht, die ich vorschlage, verbindet Aspekte der genannten Theorien. Sie gründet in der mystischen Lehre des mir bekannten Sehers Nestor (Tausin 2010a), hat eine biologische Dimension und unterstützt den Überlebens- wie auch den Kultur-Gedanken.

Nestors Lehre vom „Nabel" und der Ekstase

Nestor berichtet von einer besonderen leuchtenden Kugel in der Leuchtstruktur, auf welche er sich in intensiven Bewusstseinszuständen bei tiefer Entspannung zubewegt. Er nennt diese Kugel „Quelle", da in seiner Empfindung sein Bewusstsein mit dieser Kugel verbunden ist. Nestor ist der Auffassung, dass wir beim Verlassen des Körpers – beim Einschlafen und beim Sterben – in diese Quelle eingehen. Ein Seher versucht schon zu Lebzeiten, seiner Quelle so nahe wie möglich zu kommen.

Die Bewegung in Richtung der Kugel hängt für Nestor unmittelbar mit dem ekstatischen Ausströmen von Energie zusammen. Als Prickeln erfahren wir dieses Phänomen beispielsweise in stark emotionalen Situationen bereits im Alltag immer wieder – in so bescheidenem Ausmass, dass wir keine visuelle Veränderung dabei feststellen (Tausin 2010a, 2007b). Gemäss Nestor erfahren wir beim Sterben denselben Prozess, nur in sehr viel grösserer Intensität: Was sich physiologisch als Überstimulierung des neuronalen Systems ausdrückt (vgl. n/a 2009) und von manchen als Austreten der Seele aus dem Körper verstanden wird, ist energetisch ein Ausströmen aller Lebensenergie aus dem Körper. Dieser Austritt der Energie bewirkt eine starke Wahrnehmungsveränderung, eine Vorwärtsbewegung innerhalb der Leuchtstruktur. Wie diese erfahren wird, hängt von der Offenheit und Klarheit eines Menschen ab: Ist er bewusst genug, erfährt er abstrakte Tunnel- und Lichtphänomene. Je weniger bewusst er ist bzw. je länger der Prozess dauert (da der Energieschub abnimmt), desto bildlich-figurativer erscheinen die Phänomene, wobei sie die Formen des eigenen Lebensumfeldes annehmen. Dies entspricht einem durch Kultur geprägten träumenden Bewusstsein.

Diese Sicht des Todes stammt aus der mystischen Erfahrung Nestors, konkret aus der Arbeit mit bewusstseinsverändernden Praktiken und den damit zusammenhängenden Wahrnehmungen entoptischer Erscheinungen. Energierelevante Wahrnehmungsveränderungen mit einer abstrakten Lichtphase, die allmählich in eine bildlich-figurative übergeht, werden ebenfalls aus den visionären Reisen von Schamanen berichtet. Der Anthropologe Gerardo

Reichel-Dolmatoff beispielsweise unterscheidet die visuelle Wahrnehmung der Tukano-Schamanen im Amazonasgebiet während Ayahuasca-Zeremonien in eine erste, abstrakte Phase und eine zweite, figurative Phase. Beide werden von den Tukanos gedeutet und haben eine mythische und soziale Bedeutung (Reichel-Dolmatoff, 1975; 1978; vgl. Tausin 2010b). Auch das neuropsychologische Modell der Archäologen David Lewis-Williams und Thomas Dowson, das sowohl an schamanische Erfahrungen wie an klinische Studien mit bewusstseinsverändernden Substanzen angelehnt ist, unterscheidet Trance-erlebnisse in eine frühere Phase mit abstrakten entoptischen Erscheinungen, und spätere Phasen, in denen diese Erscheinungen interpretiert werden und sich zu bildlichen Halluzinationen entwickeln. Die Archäologen versuchen damit, die abstrakte paläolithische Höhlen- und Felskunst zu erklären (Lewis-Williams/Dowson 1988). Dieselbe Reihenfolge lässt sich auch im Tibetischen Totenbuch finden. Dieses Buch leitet Sterbende an, möglichst bei den zuerst auftretenden klaren Lichtern zu bleiben um befreit zu werden. Wer sich hingegen von den später erscheinenden komplexen figurativen Visionen täuschen lässt, der entkommt dem Wiedergeburtenkreislauf nicht und muss wiedergeboren werden (Rinpoche 1996).

Die Wahrnehmungsabfolge von abstrakt zu figurativ lässt sich idealerweise als steil ansteigende Kurve (intensiver Energiestrom) beschreiben, die langsam absinkt. Dies bedeutet jedoch nicht, dass alle Erfahrungen in intensiven veränderten Bewusstseinszuständen in dieser Reihenfolge ablaufen müssen. Denn Mystikerinnen oder

Seher können je nach Aufmerksamkeit oder Ereignis abstrakte Klarheit gewinnen oder aber in figurative Träume fallen. Und im Tibetischen Totenbuch hat die Seele auf jeder der immer bildlicher werdenden Stufen wieder die Möglichkeit, doch noch das reine Licht zu finden. Dies entspricht einigen Berichten von Menschen, bei denen die Reihenfolge während der NTE umgekehrt ist oder sich figurative und abstrakte Bilder abwechseln – z.B. das Auftauchen eines erlösenden Lichts in „Höllenvisionen" (vgl. Rawlings 1987).

Die Leuchtstruktur in Nahtoderfahrungen?

Auch beim erweiterten Sehen der Leuchtstruktur Mouches volantes haben wir es mit intensiven individuellen subjektiven Erfahrungen zu tun, die Menschen sehr beeindrucken und nachhaltig verändern können (vgl. Tausin 2010a). Bei beiden Phänomenen führt die Subjektivität der Erfahrung dazu, dass die Gesellschaft teils mit Ablehnung, teils mit der wissenschaftlichen Erforschung von Teilaspekten reagiert. Und die Wahrnehmungsinhalte ähneln sich teilweise, was der mystischen Interpretation von NTE Raum gibt. In diesem Fall stellt sich die Frage, ob sich in NTE das wiederholt, was Seher schon zu Lebzeiten in der Leuchtstruktur beobachten. Ein Blick auf einzelne Elemente soll diese Frage erhellen.

Abstrakte Formen – Kugeln und Röhren

Die typischen Formen der Leuchtstruktur kommen in unterschiedlichen Elementen der NTE vor. Zum einen gibt es Beschreibungen von Faden- oder Röhrenstrukturen. Ein Mann beispielsweise

„bewegte sich mit hoher Geschwindigkeit durch ein hell erleuchtetes Netz, das nach seiner Beschreibung wie ‚ein Gitter aus leuchtenden Seilen‘ aussah. Als er anhielt, wurde die sprühende Leuchtkraft so intensiv, dass es ihn blendete und jeder Energie beraubte. Er fühlte weder Schmerzen noch etwas Unangenehmes. Dieses Gitter hatte ihn in eine Form jenseits von Zeit und Raum verwandelt" (Rawlings 1987).

Ein weiteres Element ist die „psychische Nabelschnur", die einer der Pioniere der NTE-Forschung, der Brite Robert Crookall, in den NTE-Berichten immer wieder feststellte: Betreffende erzählen von einem als elastisch empfundenen „Faden" oder einer „Leine", die zwischen ihnen und ihrem physischen Körper erschienen sei. Crookall weist dabei auf ähnliche Phänomene in der tibetischen Kultur und in Prediger 12, 5-7 („silberner Strick"/"Silberschnur") hin. Seiner Ansicht nach verbindet diese Nabelschnur den physischen Körper mit dem Seelenkörper (*Soul Body*) (vgl. Steiger/ Steiger 2003; n/a 2010a).

Verbreitet ist die Erfahrung des Tunnels bzw. einer Röhre oder eines Korridors, durch den sich die Betreffenden bewegen. Ähnliches berichten die Seher über den Weg in der Leuchtstruktur: Wir würden auf eine zentrale Kugel, die „Quelle", zugehen, die sich am Ende einer Röhre befindet (Tausin 2010a). In der heutigen Nahtod-Forschung ist die Tunnelerfahrung ein umstrittenes Element. Es wurde festgestellt, dass es nicht in allen westlichen modernen Berichten vorkommt und in den Berichten aussereuropäischer und antiker Kulturen fast völlig fehlt. Zudem ist die Tunnelerfahrung auch Bestandteil von anderen veränderten Bewusstseinszuständen, so auch im bereits erwähnten neurophysiologischen Modell von Lewis-Williams und Dowson. Einige Forscher betrachten den Tunnel daher nicht mehr als definierendes Element einer NTE. Allerdings muss bedacht werden, dass der Begriff „Tunnel" ein modernes westliches Konzept ist, das es in anderen Kulturen so nicht gibt. Konzeptuelle Ähnlichkeiten mit dem Tunnel haben teilweise die Berichte von Pfaden, Flüssen, Kanälen oder der Dunkelheit, aus welcher ein Licht erstrahlt (Shushan 2009; Athappilly et al. 2006; Knoblauch 1999; Kellehear 1996). Dies geht mit der entoptisch-ekstatischen Sicht gut einher: Die Tunnelerfahrung wird je nach Bewusstheit des Betreffenden eher abstrakt oder eher figurativ und kulturell geprägt erlebt. Ich vermute jedoch, dass die abstrakte Tunnelerfahrung von einzelnen Menschen in allen Kulturen und zu allen Zeiten gemacht wurde.

Das berühmte und im Zusammenhang mit NTE oft gezeigte Bild *Aufstieg der Seligen* des niederländischen Malers Hieronymus Bosch (ca. 1450-1516) zeigt jedenfalls, dass die Tunnelerfahrung kein ausschliesslich modernes Phänomen ist.

Aufstieg der Seligen *von Hieronymus Bosch, 1500-1504, Öl auf Holz,
87x40 cm. Quelle: Link[3].*

Das Bild gibt uns ausserdem weitere Hinweise auf die Beschaffenheit des Tunnels, die uns zur anderen Form in der Leuchtstruktur führen, nämlich den Kugeln. Boschs Tunnel ist in mehrere Segmente unterteilt. Dies entspricht vielen NTE-Berichten, wobei die Segmente bzw. Wände oft als Kugeln („kugelig", „rund" etc.) erfahren werden. Eine von Moody interviewte Person beschreibt z.B., wie sie sich in „einem aus konzentrischen Kreisen bestehenden Tunnel" befand (Moody 1975). Anke Hachfeld, Sängerin der Pop-Band *Mila Mar*, beschreibt den Tunnel ihrer NTE als „erleuchtet von hellem Licht, räumlich begrenzt durch weiche, runde, schaumstoffartige Formen" und dichtet: „Durch farbige weiche Kugeln bin ich geflogen" (Anke n/a).

Durch den Tunnel auf das Licht zu. Quelle: Link[1].

Auch ausserhalb der Röhre oder des Tunnels wird das Universum während NTE zuweilen als aus „konzentrischen Kugeln" bestehend erlebt (McFetridge 2008). Einigen Aufschluss hierzu gibt die Forschung zu Orbs und Nahtoderfahrung (Williams 2007). Orbs sind transparente leuchtende Kugeln auf Fotografien, die von Orbs-Anhängern oft als Seelen Verstorbener gedeutet werden (vgl. Tausin 2007, 2008). Kugelformen, leuchtend und farbig, werden in NTE-Berichten teils neben figurativen Wahrnehmungen von Gebäuden oder menschenähnlichen Wesen genannt. Lichtwesen werden oft als leuchtende, teils farbige und bewegliche Kugeln erfahren, teils verändern sie die Form zu anthropomorphen Gestalten. Manche berichten von „Millionen Lichtkugeln".

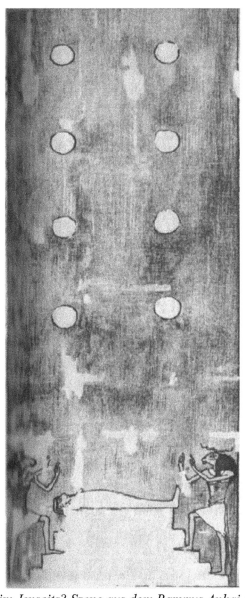

Leuchtkugeln im Jenseits? Szene aus dem Papyrus Anhai des Ägypti-
schen Totenbuchs. Die Mumie liegt auf der letzten Stufe der Him-
melstreppe, ein Symbol für den Aufstieg der Seele. Sie betrachtet „die
Tiefen des Weltraums, der durch acht weisse Scheiben auf blauem
Grund versinnbildlicht ist" (Quelle: Champdor 1977).

Auch der neue Körper, der erweiterte Fähigkeiten des Erkennens, Wahrnehmens und Bewegens aufweist, kann zwar als anthropomorph erlebt werden („Traumkörper", vgl. Tausin 2010a) oder als rund bzw. als Ball oder Kugel („Gedankenkörper", korrespondiert mit den Kugeln der Leuchtstruktur) – wobei die eine Form auch in die andere übergehen kann. Einige Betreffende erfahren sich selbst in eine Kugel gehüllt (vgl. Williams 2007; Rawlings 1987; Moody 1975).

Dunkelheit und Licht

Dunkelheit und Licht sind ebenfalls Schlüsselelemente, die sowohl in den modernen NTE wie auch in den Jenseitsvorstellungen der antiken Kulturen beschrieben werden (Shushan 2009). Oft geht die Empfindung von Dunkelheit assoziativ mit dem Fallen der Seele und mit der Unterwelt oder Hölle einher. Licht hingegen begleitet das Aufsteigen und die himmlischen Sphären. Licht und Dunkelheit sind jedoch nicht voneinander getrennt: So kann in der Dunkelheit ein Licht erscheinen. Dieses Licht wird meist als klares, weisses Licht beschrieben, das nicht blendet, und das heller wird, je näher die Betreffenden ihm kommen.

Ein Licht in der Dunkelheit. Quelle: Link[5].

Die Leuchtstruktur weist ebenfalls eine Leuchtkraft auf, deren Intensität von der Nähe der Seherin oder des Sehers abhängt – und
damit einhergehend von ihrem oder seinem Grad der Entspannung. Das Licht in der Leuchtstruktur kann durch ekstatische
Praktiken und eine Ekstase fördernde Lebensweise verstärkt werden (Tausin 2010a): Je mehr Energie eine Seherin hat, desto mehr
kann sie durch Ekstase ins „Bild" geben; je ekstatischer sie ist,
desto näher kommt sie ihren Leuchtkugeln und Leuchtfäden.
Dunkelheit dagegen ist die Absenz von Licht im Bild. Diese
Prozesse können von Sehern schon während dem Leben beobachtet werden, NTE scheinen hier eine Fortsetzung in inten-
siverem Ausmass zu sein. Menschen mit Nahtoderfahrung ten-

dieren allerdings dazu, das Licht als ein „Lichtwesen" bzw. eine Gottheit zu personalisieren. Zudem berichten sie davon, dass eine Art mentale und inhaltlich konkrete Kommunikation mit dem Licht stattgefunden habe. Beide Aspekte kommen im mystischen Sehen nicht vor.

Die Bewegung (Zoomeffekt, Sprünge)

In intensiven Bewusstseinszuständen kann in der visuellen Wahrnehmung das passieren, was Nestor als „Zoomeffekt" beschrieben hat: Man richtet die Aufmerksamkeit auf einen Gegenstand, der dann allmählich oder sprunghaft näher rückt. Alternativ kann man diese Bewegung auch als Vorwärtsbewegung des Bewusstseins hin zum Gegenstand begreifen. Das Gefühl des „Zoomens" kommt durch die Vorwärtsbewegung des Traum- oder Gedankenkörpers zustande. In NTE werden solche Bewegungen typischerweise beim Fliessen durch den Tunnel oder durch eine Dunkelheit auf ein helles Licht erfahren. Zuweilen erleben Betreffende diesen Effekt jedoch schon vorher, wenn sie noch irdische Dinge betrachten (vgl. Moody 1975). Andere wiederum sehen Kugeln, die auf sie zukommen (Jinny 2010). Lichtwesen in Form von Kugeln werden auch in ihrer Beweglichkeit wahrgenommen. Sie werden als „hüpfend" oder „herumwirbelnd" beschrieben (Williams 2007). Insgesamt zeigen diese Beispiele, dass die Distanz zwischen Beobachter und Beobachtetem überbrückt werden kann – genau wie beim Sehen der Leuchtstruktur in intensiveren Bewusstseinszuständen.

Fazit

Die abstrakten Elemente von NTE weisen Parallelen zu den Leuchtstruktur Mouches volantes auf. Daher ist es möglich, dass solche Phänomene in Nahtodzuständen wahrgenommen werden. Entoptische Erscheinungen wie die Mouches volantes wurden physiologisch erklärt. In diesem Fall bedeutet dies, dass NTE durchaus eine biologische Dimension aufweisen. Falsch wäre es jedoch, diese isoliert zu betrachten. Denn physiologische Prozesse müssen nicht zwangsläufig Ursache von geistigen sein. Sie könnten auch als deren Folge oder einfach als eine andere Ebene des Ausdrucks von Bewusstsein verstanden werden. Zwar ermöglicht uns ein physischer Körper in diesem Leben abstrakte subjektive visuelle Erscheinungen wahrzunehmen. Dies bedeutet aber nicht zwangsläufig, dass diese Erscheinungen mit dem Tod des physischen Körpers verschwinden. Sie könnten auch ausserhalb des physischen Körpers bzw. durch die Wahrnehmung mit einem feinstofflicheren Körper – etwa in Träumen, in anderen veränderten Bewusstseinszuständen oder eben im Tod – in Erscheinung treten. Und NTE-Berichten zufolge tun sie dies in aller Deutlichkeit. Die Ähnlichkeit zwischen der Leuchtstruktur und einigen NTE-Elementen weist darauf hin, dass wir es bei den Kugeln und Fäden mit einem Bewusstseinsphänomen zu tun haben, das Gegenstand der feinstofflichen Wahrnehmung ist. Sie legt zudem nahe, dass es eine (visuelle subjektive) Kontinuität zwischen Leben und Tod gibt, was m. E. für die Überlebenshypothese spricht.

Für unsere gegenwärtige Existenz in einem physischen Körper können wir im Umkehrschluss festhalten, dass die Beobachtung von oder die Meditation über die Leuchtstruktur bereits eine Art von Nahtoderfahrung ist – so wie auch die Visionen von Mystikern als Nahtoderfahrungen verstanden werden können. Im Sinne des Tibetischen Totenbuches geht es Seherinnen und Sehern in solchen Zuständen darum, die Prozesse in ihrer abstrakten energetischen Konfiguration zu erkennen und von bildlichen und emotionalen Verstrickungen frei zu werden.

Literatur

n/a (2010a): „Does a Mind Need a Brain?" *The Epoch Times*, 23.6.10. theepochtimes.com/n2/content/view/37907/ (19.1.11)

n/a (2010b): „Nahtoderfahrungs-Studie: Erste Ergebnisse im kommenden Jahr". *Grenzwissenschaft-Aktuell*, 28.10.10. grenzwissenschaft-aktuell.blogspot.com/2010/10/nahtoderfahrungs-studie-erste.html (23.9.22)

n/a (2009): „Studie: Gehirnaktivität steigt kurz vor dem Tod stark an". *Grenzwissenschaft-Aktuell*, 8.10.09. grenzwissenschaft-aktuell.blogspot.com/2009/10/studie-gehirnaktivitat-steigt-kurz-vor.html (23.9.22)

Athappilly, Geena K. et al. (2006): „Do Prevailing Societal Models Influence Reports of Near-Death Experiences? A Comparison of Accounts Reported Before and After 1975". *The Journal of Nervous and Mental Disease* 194, Nr. 3: 218-222

Blackmore, Susan J. (1993): *Dying to Live: Near-Death Experiences*. Buffalo: Prometheus Books

Blackmore, Susan (2005): *Consciousness. A Very Short Introduction*. Oxford/New York: Oxford University Press

Champdor, Albert (1977): *Das Ägyptische Totenbuch. Kult und Religion im alten Ägypten – nach den schönsten Papyri aus berühmten Grabmälern, aufgefunden in der Nekropole von Theben*. Bern/München: Scherz Verlag

Greyson, Bruce (2006): „Near-Death Experiences and Spirituality". *Zygon* 41, Nr. 2: 393-414

Grof, Stanislav; Halifax, Joan (1977): *The Human Encounter With Death*. E. P. Dutton: New York

Hachfeld, Anke (n/a): „Nahtoderfahrung – Ein persönlicher Erlebnisbericht, Informationen und Leseanregungen". *Milamar.de*. milamar.de/flash_site/Nahtoderfahrung2.pdf (23.9.22)

Horacek, Bruce J. (1997): „Amazing Grace: The Healing Effects of Near-Death Experiences on Those Dying and Grieving". *Journal of Near-Death Studies* 16, Nr. 2: 149-161

Jinny (2010): „Dem Tod ganz nah – Nahtod-Erfahrungen von saira84" (Kommentar zum Artikel). *Os-community.de*.

14.os-community.de/Magazin/Dem_Tod_ganz_nah_Nahtod-Erfahrungen/2265
1 (17.1.11)

Kellehear, Allan (1996): *Experiences Near Death: Beyond Medicine and Religion.* Oxford University Press

Knoblauch, Hubert (1999): *Berichte aus dem Jenseits. Mythos und Realität der Nahtod-Erfahrung.* Herder: Freiburg/Basel/Wien

Lewis-Williams, J. D.; Dowson, T. A. (1988): „The Signs of All Times: Entoptic Phenomena in Upper Paleolithic Art". *Current Anthropology* 29, Nr. 2: 201-245

McFetridge, Grant (2008): „OBE konzentrische Kugeln" (Glossar und Suche). *Peakstates.at.* peakstates.at/glossar.html#no (23.9.22)

Moody, Raymond (2002): *Leben nach dem Tod: die Erforschung einer unerklärlichen Erfahrung* (34. Aufl.). Rowohlt: Reinbek bei Hamburg

Parnia, Sam u.a. (2014): „AWARE—AWAreness during REsuscitation—A prospective study". *Resuscitation 85*, Nr. 12: 1799-1805. resuscitationjournal.com/article/S0300-9572(14)00739-4/fulltext (23.9.22)

Rätsch, Christian (2004): *Enzyklopädie der psychoaktiven Pflanzen. Botanik, Ethnopharmakologie und Anwendungen.* AT Verlag

Rawlings, Maurice S. (1987): *Jenseits der Todeslinie. Neue klare Hinweise auf die Existenz von Himmel und Hölle.* Baden: Christliche Buchhandlung

Reichel-Dolmatoff, Gerardo (1975): *The Shaman and the Jaguar. A Study of Narcotic Drugs Among the Indians of Colombia.* Philadelphia: Temple University Press

Reichel-Dolmatoff, Gerardo (1978): *Beyond the Milky Way. Hallucinatory Imagery of the Tukano Indians.* Los Angeles: University of California

Rinpoche, Sogyal (1996): *Das tibetische Buch vom Leben und Sterben. Ein Schlüssel zum tieferen Verständnis von Leben und Tod* (18. Aufl.). BARTH O. W. Verlag

Schick, Theodore; Vaughn, Lewis (2010): *How to Think About Weird Things: Critical Thinking for a New Age* (6. Aufl.). McGraw-Hill

Shushan, Gregory (2009): *Conceptions of the Afterlife in Early Civilizations. Universalism, Constructivism, and Near-Death Experience.* London/New York: Continuum

Steiger, Brad; Steiger, Sherry Hansen (2003): *The Gale Encyclopedia of the Unusual and Unexplained.* Detroit u.a.: Thomson Gale

Strassman, Rick (2001): *DMT: The Spirit Molecule. A Doctor's Revolutionary Research into the Biology of Near-Death and Mystical Experiences.* Rochester: Park Street Press

Stutley, Margaret (2003): *Shamanism. An Introduction.* London/New York: Routledge

Tausin, Floco (2010a): *Mouches Volantes. Die Leuchtstruktur des Bewusstseins.* Bern: Leuchtstruktur Verlag

Tausin, Floco (2010b): „Lichter in der Anderswelt. Mouches volantes in der darstellenden Kunst moderner Schamanen". *Ganzheitlich Sehen* 2/10. mouches-volantes.com/news/newsjuni2010.htm#1 (23.9.22)

Tausin, Floco (2008a): „Mouches volantes – Glaskörpertrübung oder Nervensystem? Fliegende Mücken als wahrnehmbarer Aspekt des visuellen Nervensystems. Teil 1: Die Grenzen der ophthalmologischen Erklärung der Mouches volantes". *Ganzheitlich Sehen* (4/08). mouches-volantes.com/news/newsdezember2008.htm#1 (23.9.22)

Tausin, Floco (2008b): „Mouches volantes und Orbs". *Ganzheitlich Sehen* 3/08. mouches-volantes.com/news/newsoktober2008.htm#2 (23.9.22)

Tausin, Floco (2007a): „Paranormale visuelle Phänomene: Orbs, Aura, Mouches volanets und ‚Sternchen' im Vergleich". Parawelten. Grenzwissenschaften – UFOs – Paraphänomene. *Publikation der Interessensgruppe für Grenzwissenschaften & Paraphänomene* 1/2

Tausin, Floco (2007b): „Prickelnde Gesundheit. Vom Haaresträuben zur bewusstseinserweiternden Ekstase". *Virtuelles Magazin 2000* 44. archiv.vm2000.net/44/flocotausin/gaensehaut.html (6.9.19)

Tausin, Floco (2006a): „Mouches volantes und Trance. Ein universelles Phänomen bei erweiterten Bewusstseinszuständen früher und heute". *Jenseits des Irdischen* 3

Tausin, Floco (2006b): „Zwischen Innenwelt und Aussenwelt. Entoptische Phänomene und ihre Bedeutung für Bewusstseinsentwicklung und Spiritualität". *Schlangentanz* 3

Van Lommel et al. (2001): „Near-death experience in survivors of cardiac arrest: a prospective study in the Netherlands". *Lancet* 358: 2039-45

Williams, Kevin (2007): „The NDE and Orbs. Kevin William's research conclusions". *Near-Death Experiences and the Afterlife.* near-death.com/experiences/research17.html (6.9.19)

Williams Cook, Emily; Greyson, Bruce; Stevenson, Ian (1998): „Do any near-death experiences provide evidence for the survival of human personality after death? Relevant features and illustrative case reports". *Journal of Scientific Exploration* 12, Nr. 3: 377-406

Woofenden, Lee (2009): *Death and Rebirth: From near death experiences to eternal life.* NCE Ministries

Zaleski, Carol (1993): *Nah-Todeserlebnisse und Jenseitsvisionen vom Mittelalter bis zur Gegenwart.* Frankfurt a.M. et al.: Insel Verlag

Links

Link[1]: *Kollektiv.org.* kollektiv.org/magazine/die-leuchtkugel-am-ende-des-tunnels (23.9.22)

Link[2]: commons.wikimedia.org/wiki/File:Harpy.jpg?uselang=fr (23.9.22)

Link[3]: de.wikipedia.org/wiki/Aufstieg_der_Seligen_(Hieronymus_Bosch) (23.9.22)

Link[4]: klarblicker.de/paranormal/durchdaslicht.html (19.1.11)

Link[5]: diggapic.com/pictures/iands.org (19.1.11)

Über den Autor

Floco Tausin

floco.tausin@mouches-volantes.com

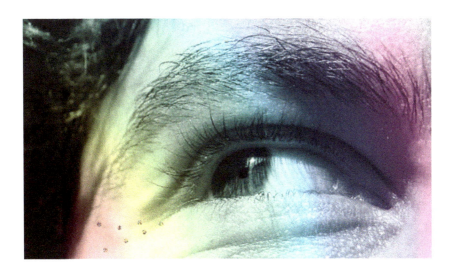

Der Name Floco Tausin ist ein Pseudonym. Der Autor promovierte an der geisteswissenschaftlichen Fakultät der Universität Bern und befasst sich in Theorie und Praxis mit der Erforschung subjektiver visueller Phänomene im Zusammenhang mit veränderten Bewusstseinszuständen und Bewusstseinsentwicklung. 2004 veröffentlichte er die mystische Geschichte „Mouches Volantes" über die Lehre des im Schweizer Emmental lebenden

Sehers Nestor und die spirituelle Bedeutung der Mouches volantes.

Angaben zum Buch:
Mouches Volantes – Die Leuchtstruktur des Bewusstseins
siehe: mouches-volantes.com/buch/buch.htm

Bereits den alten Griechen bekannt, von heutigen Augenärzten als harmlose Glaskörpertrübung betrachtet und für viele Betroffene ärgerlich: Mouches volantes, Punkte und Fäden, die in unserem Blickfeld schwimmen und bei hellen Lichtverhältnissen sichtbar werden.
Die Erkenntnis eines im schweizerischen Emmental lebenden Sehers stellt die heutige Ansicht radikal in Frage: Mouches volantes sind erste Teile einer durch unser Bewusstsein gebildeten Leuchtstruktur. Das Eingehen in diese erlaubt uns Menschen, mit dem Bilde eins zu werden.

Mouches volantes: Glaskörpertrübung oder Bewusstseinsstruktur? Eine mystische Geschichte über die nahe (f)liegendste Sache der Welt.

www.ingramcontent.com/pod-product-compliance
Lightning Source LLC
Chambersburg PA
CBHW050456080326
40788CB00001B/3884